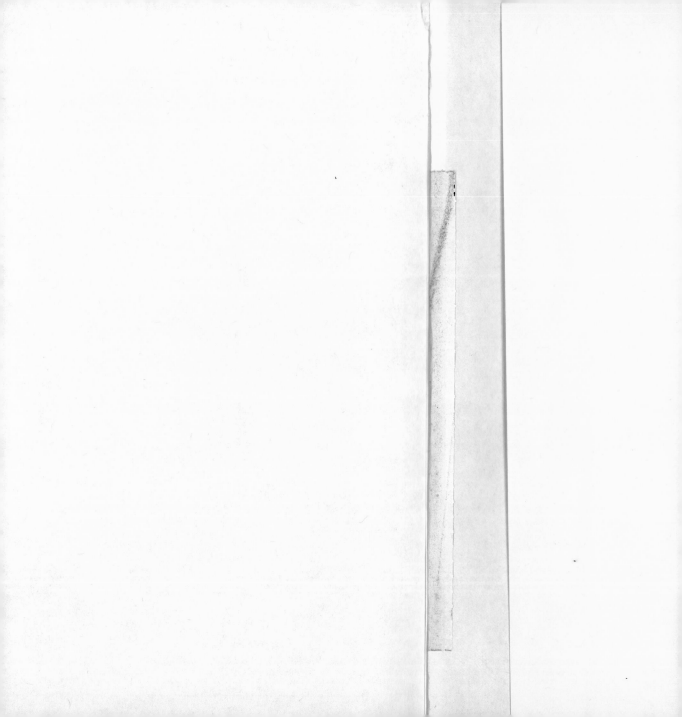

SOURCES CHRÉTIENNES

Fondateurs : H. de Lubac, et † J. Daniélou, C. Mondésert, s.j.
Directeur : D. Bertrand, s.j.
Directeur-adjoint : J.-N. Guinot

Nº 314

GRÉGOIRE LE GRAND

COMMENTAIRE

SUR

LE CANTIQUE DES CANTIQUES

INTRODUCTION, TRADUCTION, NOTES et INDEX

PAR

Rodrigue BÉLANGER
Professeur à l'Université
du Québec à Rimouski

Ouvrage publié avec le concours
du Centre National des Lettres
et de l'Université du Québec à Rimouski

LES ÉDITIONS DU CERF, 29, Bd de Latour-Maubourg, PARIS 7ᵉ
1984

*La publication de cet ouvrage
a été préparée avec le concours de
l'Institut des Sources Chrétiennes
(E.R.A. 645 du Centre National de la Recherche Scientifique).*

Nous utilisons le texte latin établi par Patrick Verbraken, o.s.b. pour le CCL (T. XLIX). Voir la note, p. 63.

© *Les Éditions du Cerf*, 1984
ISBN 2-204-02227-6
ISSN 0750-1978

DILECTISSIMAE SPONSAE
PUELLISQUE NOSTRIS

AVANT-PROPOS

Je me plais à acquitter une dette de gratitude envers ceux qui ont soutenu mon labeur de leur compétence et de leur amitié.

Je remonte dans le temps pour rendre hommage à M. Raymond Étaix qui m'a ouvert le premier l'œuvre de Grégoire le Grand. Je remercie M. Hervé Gagné qui m'a accordé le concours indéfectible de sa riche expérience professionnelle. Mon travail a aussi largement bénéficié des conseils avisés de M. Jean-Pierre Mahé et du P. Bernard de Vregille, principalement dans la mise au point de la traduction. Je remercie enfin M. René Desrosiers qui a pris sur lui l'onéreuse tâche de réviser les textes et d'en assurer la correction.

R.B.

INTRODUCTION

Disce cor Dei in uerbis Dei, ut ardentius ad aeterna suspires[1]. Cette recommandation de Grégoire le Grand au médecin Théodore exprime en une formule admirable l'intérêt et le soin inlassables qu'il a mis lui-même à scruter et à prêcher la Parole de Dieu. Toute sa vie de contemplatif et de pasteur s'est consumée au feu de cette Parole lue, méditée et proclamée au milieu de ses fidèles.

L'image de la Parole comme feu, empruntée au psaume[2], mérite d'être retenue : Grégoire l'a faite sienne et l'a enrichie d'une touche personnelle, précisément dans son commentaire sur le *Cantique des cantiques* : « Celui que l'Écriture sainte rassasie spirituellement, elle le brûle du feu de l'amour[3]. »

Contemplatif, pasteur — et pape, faut-il ajouter —, voilà un programme humain et spirituel bien chargé pour une même personne. C'est pourtant dans ce partage paradoxal que se trouve résumée toute la vie de Grégoire. Jeune encore, il avait renoncé aux plus hautes dignités de la fonction publique, il en avait fui les exigences et les embarras pour « gagner le havre du monastère et s'échapper du naufrage de la vie[4] ». Son idéal

---

1. *MGH, Epist.*, t. I, p. 346 (nos références sont données à cette édition, notre travail ayant été achevé avant la parution de celle de D. Norberg parue dans le *CCL*, 140-140 A, en 1982).

2. *Ps.* 118, 140.

3. *In Cant.*, 5.

4. *Morales sur Job*, Lettre-dédicace, 1 : *SC* 32 bis, p. 117.

de vie monastique s'était affirmé dans l'admiration qu'il portait au saint homme Benoît, qui avait opté sans partage pour la voie lumineuse de la contemplation : « Il abandonna l'étude des lettres, laissa la maison et les biens de son père. Désireux de plaire à Dieu seul, il se mit en quête de l'habit pour mener une vie sainte. Ainsi il se retira, savamment ignorant et sagement inculte[5]. »

Grégoire a connu lui-même, pendant ses deux séjours au monastère du Mont Caelius, l'expérience de cette « vie sainte », consacrée tout entière à l'exercice bienfaisant de la contemplation. Mais on sait comment les besoins de l'Église et le choix unanime des chrétiens de Rome sont venus le soustraire à cette paix qu'il savourait dans sa retraite et le conduire à la charge redoutable du pontificat. Lui, le moine assoiffé de solitude et de prière, le contemplatif déjà comblé, il s'est vu soudain livré sans ménagement aux impératifs d'une nouvelle vie qui ne devait jamais le satisfaire. Les exigences de la vie active et les soucis administratifs de la papauté ont vraiment été pour lui la *sarcina*[6], le fardeau qui venait sans cesse retarder et entraver les élans qui le soulevaient vers Dieu. Autre fardeau aussi que celui de la maladie qui l'a affligé depuis la quarantaine jusqu'à sa mort et qui l'a en quelque sorte associé à la douleur exemplaire du saint homme Job[7].

Mais, par-delà sa maladie, Grégoire nous fait part d'une souffrance encore plus vive qui l'atteint dans son âme même :

---

5. *Dialogues* II, Prol. : *SC* 260, p. 127.

6. Cf. *Hom. in Ez.* 1, 11, 6 (*CCL*, p. 171). S. Augustin employait souvent cette expression imagée ; on la retrouve six fois dans le seul sermon 340 (*PL* 38, 1483-1484). La *sarcina* évoque l'idée du « barda », cet équipement personnel que le fantassin porte au dos et qui alourdit sa marche. Cf. M. JOURJON, *Saint Augustin parmi nous*, Le Puy-Paris 1954, p. 155-157.

7. Cf. *Morales sur Job*. Lettre-dédicace, 5 : *SC* 32 bis, p. 131.

celle de se voir dispersé dans le tumulte de la vie active et de ne pouvoir s'abandonner entièrement à son désir de la vie contemplative. La difficulté de concilier dans sa vie les charges de sa tâche pastorale et sa quête de la contemplation éclate dans la plainte répétée qu'il laisse échapper à travers ses écrits[8]. Comme l'a noté C. Dagens, l'expérience profonde de Grégoire reste néanmoins celle du pasteur qui a su dépasser cette difficulté pour atteindre finalement à l'équilibre de la « vie mixte »[9].

Ce que Grégoire nous livre dans son œuvre, c'est la totalité de sa riche expérience humaine, chrétienne et pastorale. Ses hésitations, ses enthousiasmes, ses appréhensions, sa maladie même, toutes les étapes et tous les paradoxes de sa vie, il les scrute devant nous avec une rare finesse d'analyse pour nous les présenter mûris, lumineusement transformés dans la vigueur et la densité de sa foi. Sa parole, abondamment nourrie à la Parole divine, vient traduire simplement et sans artifice ce qui a d'abord été en lui-même recherche intense de Dieu, vie de grâce et service de l'Église. Il est impossible de douter un seul instant de la sincérité d'un tel pasteur : lui-même sait bien où il va, mais lors même qu'il nous guide, nous comprenons qu'il continue à chercher et à s'élever avec nous.

La fréquentation de Grégoire révèle toujours quelque trait nouveau de sa personnalité, quelque réflexe inédit de sa sensibilité. En ce sens, son commentaire sur le *Cantique des cantiques* témoigne de l'attention qu'il accorde aux élans affectifs du cœur[10] ; sa réflexion s'y développe en effet

---

8. C. Dagens a bien montré que « sa correspondance est riche de confidences à ce sujet ». Cf. *Saint Grégoire le Grand. Culture et expérience chrétiennes*, Paris, *Études augustiniennes*, 1977, p. 136-149.

9. *Loc. cit.*, p. 149-150.

10. Il n'est sans doute pas accidentel que le terme *cor* revienne à vingt reprises dans un texte aussi bref. Cf. *Index analytique des mots latins*.

comme un véritable hommage à la grandeur du cœur de Dieu qui s'ouvre sans réserve à la misère du cœur de l'homme, dans une invitation pressante à venir célébrer « les saintes épousailles de l'Époux et de l'Épouse[11]. »

11. Cf. *In Cant.*, 3-4.

I

UN TEXTE TROP ET TROP PEU CONNU

1. Un problème d'authenticité

L'authenticité du commentaire de Grégoire le Grand sur les huit premiers versets du *Cantique des cantiques* n'a pu se dégager à travers les siècles qu'à l'intérieur d'une tradition manuscrite obscure et particulièrement complexe. En dépit de l'indication claire de son titre, l'ouvrage est resté exposé aux caprices d'une tradition littéraire incertaine ; de la même façon, sa teneur nettement grégorienne n'a pas suffi à le préserver des hésitations ou de l'arbitraire des éditeurs.

Il a fallu le travail patient de Dom Capelle pour tirer au clair l'histoire textuelle de ce commentaire grégorien[1]. L'enquête ingénieuse qu'il a menée à l'intérieur de la tradition manuscrite lui a permis d'authentifier l'œuvre de Grégoire en la libérant de son « voisinage compromettant » avec le commentaire que Robert de Tombelaine a fait lui-même du *Cantique* dans la seconde moitié du XIe siècle[2]. Les compléments précieux apportés à la recherche de Dom Capelle par le P. Vaccari[3] et par P. Verbraken qui, pour son édition criti-

---

1. « Les homélies de saint Grégoire sur le Cantique », dans *Rev. Bén.* 41 (1929), p. 204-217. Nous croyons avec P. Verbraken que Grégoire a laissé un commentaire continu du livre du *Cantique* plutôt qu'une série d'homélies. Voir l'introduction à son édition critique du texte dans *CCL* 144, Turnhout 1963, p. VII-IX.

2. *Commentariorum in Cantica Canticorum libri duo : PL* 150, 1361-1370.

3. « De scriptis S. Gregorii Magni in Canticum Canticorum », dans *Verbum Domini* 9 (1929), p. 304-307.

que, a inventorié et classé les manuscrits[4], ont jeté une lumiè-re définitive sur la question.

Dom Capelle a repéré quatre formes selon lesquelles le texte de Grégoire (A), celui de Robert de Tombelaine (B) et deux compilations réunissant les deux textes précédents (C-D) ont été connus et diffusés dans la tradition médiévale. En somme, le problème que posent ces quatre formes est né à la fin du XIe siècle du souci que l'on a eu de donner une suite à ce commentaire malencontreusement interrompu au verset huitième du chapitre premier du *Cantique*. La difficulté s'est accrue à partir du moment où l'on a emprunté au commen-taire de Robert de Tombelaine en croyant « compléter » l'ouvrage de Grégoire.

Texte A : Grégoire

Notre texte apparaît d'abord sous la forme d'un commen-taire des huit premiers versets du Cantique, précédé d'un long prologue sur les règles d'interprétation de l'Écriture et sur leur application particulière dans la lecture du *Cantique*[5]. Cette forme initiale, que l'on peut attribuer dans son intégra-lité à Grégoire, se retrouve dans des manuscrits antérieurs de deux siècles à Robert de Tombelaine. Voilà l'indice majeur qui eût évité toute ambiguïté dans la tradition, mais qui n'a pas été perçu par les premiers éditeurs. La seule édition que l'on en ait, avant celle de P. Verbraken, a été préparée par G. Heine et a vu le jour en 1848[6]. Il semble bien pourtant que le

---

4. « La tradition manuscrite du commentaire de saint Grégoire sur le Cantique des cantiques », dans *Rev. Bén.* 73 (1963), p. 277-288. De même : « Un nouveau manuscrit du commentaire de S. Grégoire sur le Cantique des cantiques », dans *Rev. Bén.* 75 (1965), p. 143-145.

5. Prologue : *Postquam a paradisi.* Texte : *Angelos ad eam.*

6. *Commentarius Gregorio Magno adscriptus*, dans G. HEINE, *Bibliotheca Anecdotorum seu Veterum Monumentorum ecclesiasticorum Collectio novissima*, t. I, Leipzig 1848, p. 168-186.

travail de ce précurseur n'ait pas trouvé d'écho avant l'étude de Dom Capelle en 1929.

Texte B : Robert de Tombelaine
et prologue de Jérôme

La deuxième forme qui s'offre à nous est celle d'un commentaire indépendant et complet attribué à Robert de Tombelaine, à la fin du XIe siècle. C'est la forme qui est reproduite sous son nom dans Migne[7], précédée d'une lettre explicative[8] dans laquelle l'abbé de Saint-Vigor[9] présente son travail à son ami Ansfrid. Cependant, comme le P. Vaccari[10] et F. Ohly[11] l'ont déjà noté, le prologue *Tribus nominibus* — détail qui a échappé à Dom Capelle — n'est pas de Robert, mais de S. Jérôme qui l'a composé pour introduire son commentaire sur l'*Ecclésiaste*[12]. Ce court texte de Jérôme avait déjà été « emprunté » avant Robert par Alcuin[13], par la *Glossa ordinaria*[14] et par Angelome de Luxeuil[15]. Ces auteurs l'ont assorti eux aussi de variantes mineures qui ne peuvent donner le change sur son origine hiéronymienne.

---

7. *PL* 150, 1361-1370. On remarquera la note de renvoi, col. 1370, qui explique l'interruption du commentaire après le verset 12.

8. Incipit : Lettre : *Seruos Dei*. Prologue : *Tribus nominibus*. Texte : *Os sponsi, inspiratio Christi*.

9. On peut déduire que Robert a déjà quitté l'abbaye du Mont-Saint-Michel lorsqu'il déclare avoir composé ce commentaire *in cella solitaria* (*PL* 150, 1363 B).

10. *Loc. cit.*, p. 306, note 3.

11. *Hohelied-Studien, Grundzüge einer Geschichte der Hoheliedauslegung des Abendlandes bis um 1200,* Wiesbaden 1958, p. 96-97.

12. *Commentarius in Ecclesiasten : PL* 23, 1011 B - 1116 D.

13. *PL* 100, 668 C - 669 C.

14. *PL* 113, 1115 D - 1116 D.

15. *PL* 115, 555 B - 556 A.

Texte C : Grégoire et Robert de Tombelaine

Une troisième forme de notre texte, reçue dès le XIIᵉ siècle sous le nom de Grégoire, a connu une histoire plus enchevêtrée que les précédentes. Il s'agit encore d'un commentaire complet dont le début (*Cant.* 1, 1-8) est constitué par le texte A maintenu intégralement tandis que la suite (*Cant.* 1, 9 s.) est empruntée au texte B, préalablement tronqué du commentaire des huit premiers versets. Le résultat de ce processus de substitution et de compilation ne pouvait qu'embarrasser le lecteur attentif : la prolixité du texte de Grégoire s'allie fort mal avec l'extrême sobriété de celui de Robert dont le propos était de faire un ouvrage concis inspiré de Bède le Vénérable. Il avoue même à Ansfrid qu'il a rédigé ses réflexions dans la marge du texte biblique[16] !

Ce caractère composite de l'ensemble explique bien les réticences d'érudits comme Goussainville, Oudin et Hauréau qui se sont refusés à attribuer d'emblée à Grégoire un texte dont la majeure partie portait la marque évidente de Robert de Tombelaine[17]. Quant au long prologue de Grégoire, ils se sont peu préoccupés d'en identifier l'auteur réel et c'est tout aussi allégrement que l'un à la suite de l'autre, ils en ont attribué la paternité à Richard de Saint-Victor[18].

---

16. *PL* 150, 1363 B - 1364 A.

17. Cf. B. CAPELLE, *loc. cit.*, p. 206-208.

18. Il est vrai que Richard de Saint-Victor a introduit son commentaire sur le *Cantique* par le prologue de Grégoire (*PL* 196, 405 A - 410 B). Un moment d'inattention ou l'enthousiasme d'une démonstration ont fait glisser le P. DE LUBAC lui-même dans ce piège ouvert (cf. *Exégèse médiévale. Les quatre sens de l'Écriture,* Paris 1961, Seconde partie, t. I, p. 126, note 1). Ajoutons que l'emprunt fait par Richard à Grégoire ne doit pas nous étonner outre mesure ; il était d'usage avoué chez les commentateurs médiévaux du *Cantique* de prélever des extraits *ad litteram* dans les ouvrages de Grégoire. Le commentaire d'Angelome de Luxeuil est l'exemple le plus éloquent de ce genre de « tissus grégoriens » (*PL* 115, 555-628).

Cette forme mixte, très répandue dans les manuscrits, a connu son édition princeps à Cologne chez Ulrich Zell, aux environs de 1473[19].

Les Mauristes, sans doutes gênés par les objections de Goussainville, ont approché cette compilation avec précaution et ont d'abord achoppé au problème d'authenticité que soulevait cette troisième forme. Dans leur *Histoire de saint Grégoire le Grand*, publiée en français par Denis de Sainte Marthe en 1697, on les trouve en effet plus que circonspects sur le caractère et sur l'origine de l'ouvrage[20].

Mais dès 1705, les mêmes Mauristes éditaient le commentaire en son entier et l'attribuaient sans réserve à Grégoire[21]. Leur enthousiasme s'était réveillé à la découverte d'une citation du commentaire de Grégoire dans le florilège de Paterius[22], et c'est maintenant à tout le texte que, dans la préface de leur édition, ils étendaient la marque grégorienne, manifeste, disaient-ils avec clairvoyance, *maxime usque ad uersum nonum capitis primi*[23]. Quant à la suite du commentaire, que

---

19. Cf. P. VERBRAKEN, « La tradition manuscrite du commentaire de saint Grégoire sur le Cantique des cantiques », dans *Rev. Bén.* 73 (1963), p. 285.

20. *Histoire de Saint Grégoire le Grand*, Rouen 1697, p. 555-558. Après avoir comparé cette forme mixte avec le commentaire de Robert de Tombelaine (notre texte B), l'auteur affirme « n'y avoir trouvé presqu'aucune différence, excepté dans la Préface » (p. 557) et conclut en faisant sienne l'opinion de Goussainville.

21. *Sancti Gregorii Papae super Cantica Canticorum Expositio*. Cf. *PL* 79, 471-548.

22. *PL* 79, 1060-B-D. Cette citation était cependant bien loin de servir leur conclusion puisqu'elle tient son origine, non pas de Paterius, disciple et ami de Grégoire, mais du supplément médiéval à l'œuvre de Paterius. Cf. A. WILMART, « Le recueil grégorien de Paterius et les fragments wisigothiques de Paris », dans *Rev. Bén.* 39 (1927), p. 81-104 ; aussi R. ÉTAIX, « Le Liber testimoniorum de Paterius », dans *Rev. SR.* 32 (1958), p. 66-78.

23. *Aliunde uero styli Gregoriani multa supersunt uestigia, uti diligens lector haud difficile obseruabit, maxime usque ad uersum nonum capitis*

nous connaissons à présent comme l'œuvre de Robert de Tombelaine, ils en justifiaient la brièveté et la disparate par l'intervention possible du moine Claude dans la rédaction finale du texte[24].

Texte D

Notre texte a existé finalement sous une forme encore plus composite, qui n'est autre que la reprise du commentaire de Robert avec un nouveau prologue[25] qui résume le prologue grégorien déjà connu par le texte A et le texte C. Cette forme hybride, comme la précédente, n'entretient de liens avec l'œuvre originale de Grégoire que par les idées du prologue, et elle lui a été aussi attribuée dès le XIIe siècle. Notons que cette forme a connu une édition à Bâle en 1496 et deux à Paris, l'une en 1498, l'autre en 1605[26].

De ces quatre textes que nous venons de caractériser, le premier et le troisième reproduisent donc intégralement le commentaire de Grégoire sur *Cant.* 1, 1-8, soit dans sa condition d'indépendance primitive, soit dans la condition mixte que lui a donnée la tradition. Le texte A, qui nous livre un commentaire autonome et antérieur à Robert de Tombelaine, atteste déjà l'ancienneté de cette œuvre dont la critique interne vient aisément manifester l'origine grégorienne. Dom Capelle s'est donné comme tâche de la vérifier définitivement. Les textes parallèles qu'il a relevés à cette fin dans les autres commentaires scripturaires de Grégoire sont suffisamment probants : on pourrait en effet les substituer aux passages

---

primi, *ubi iidem uersus in uarios sensus, typicos, allegoricos, morales, inflectunctur et uertuntur, methodo sancto Doctori familiari, et in libris Moralium notissima* (PL 79, 471).

24. *PL* 79, 471.

25. Incipit : *Quia si caeco.*

26. Cf. *PL* 79, 471.

correspondants du commentaire sur le *Cantique* sans porter atteinte à la substance originale de l'œuvre[27]. L'étude des sources menée plus bas ajoutera d'autres extraits grégoriens qui présentent avec notre texte une parenté de pensée et d'expression non moins décisive pour établir son authenticité.

2. Un texte incomplet

Comment expliquer le caractère incomplet de ce commentaire ? Ou bien Grégoire n'a pas eu le loisir ou l'occasion d'achever son travail, ou bien on doit penser à un accident survenu dans la tradition manuscrite. Cette dernière explication reste la plus plausible. P. Verbraken a su découvrir et analyser au moins deux indices sûrs qui lui permettent d'établir que Grégoire avait commenté le *Cantique* dans sa totalité[28].

Il s'agit d'abord d'une lettre que S. Colomban a adressée à Grégoire aux environs de l'an 600[29]. D'après cette lettre, il semble que S. Colomban ait eu en main un commentaire du *Cantique*, vraisemblablement de Grégoire, et qui aurait été interrompu cette fois au verset 5 du chapitre 4. C'est ce qui viendrait expliquer la demande qu'il adresse au pape de poursuivre brièvement son commentaire jusqu'à la fin du texte sacré et de le lui faire ensuite parvenir[30]. Nous avons donc là

---

27. *Loc. cit.*, p. 210-214.

28. Cf. « La tradition manuscrite du commentaire de saint Grégoire sur le Cantique des cantiques », dans *Rev. Bén.* 73 (1963), p. 279-281. Voir aussi l'introduction à l'édition critique, *CCL* 144, p. VIII.

29. G.S.M. WALKER, *Sancti Columbani Opera*, Dublin 1957, p. 2-12. Pour la date de cette lettre de Colomban, voir p. XXXVI.

30. *Sed si dignaris, aliqua nobis de tuis transmitte relectis in ciuitate, extrema scilicet libri exposita ; transmitte et Cantica canticorum ab illo loco, in quo dicit, Ibo ad montem myrrhae et collem thuris, usque in finem ; aut aliorum aut tuis breuibus, deposco, tracta sententiis :* G.S.M. WALKER, *loc. cit.*, p. 10.

un premier indice qui nous autorise à croire que notre commentaire actuel a eu au moins cette suite qui le prolongeait jusqu'à *Cant.* 4, 5.

Un demi-siècle plus tard, un témoignage beaucoup plus net nous est fourni par saint Ildephonse de Tolède dans son *De uirorum illustrium scriptis* : l'évêque de Tolède y écrit à propos de Grégoire : *Super librum Salomonis, cui titulus est Canticum canticorum, quam mire scribens morali sensu opus omne exponendo percurrit*[31]. Nous trouvons donc affirmé ici que Grégoire a commenté le texte du *Cantique* en sa totalité. Pour être brève, la référence d'Ildephonse n'en reste pas moins valable : l'évêque de Tolède est décédé en 667, c'est-à-dire une soixantaine d'années seulement après Grégoire, ce qui incite à croire qu'il a pu avoir son commentaire en main et l'avoir étudié ; par surcroît, l'expression *morali sensu... exponendo* rend exactement compte du genre littéraire de cette partie du texte qui est parvenue jusqu'à nous.

La convergence de ces indices, la clarté surtout de la mention d'Ildephonse, nous amènent donc à conclure avec P. Verbraken que l'état fragmentaire du commentaire n'est pas dû à Grégoire lui-même, mais plutôt à certaines irrégularités dans sa diffusion ou à quelque accident de la tradition manuscrite[32].

3. La genèse et la date du commentaire

Pour éclairer jusqu'en sa genèse l'histoire de ce court texte, il faut rappeler les circonstances qui ont présidé à sa toute

---

31. *PL* 96, 198 D - 199 A. Ildephonse professait une admiration inconditionnelle à l'endroit de Grégoire. On connaît le jugement enthousiaste et naïvement exclusif qu'il a porté sur lui : *Nihil illi simile demonstrat antiquitas* ! (*PL* 96, 198 C).

32. « La tradition manuscrite du commentaire de saint Grégoire sur le Cantique des cantiques », dans *Rev. Bén.* 73 (1963), p. 280.

première expression dans la tradition manuscrite. Nous
tenons les détails essentiels sur ce point d'une lettre que
Grégoire lui-même a écrite au sous-diacre Jean de Ravenne
en janvier 602 :

« Praeterea quia isdem carissimus quondam filius meus
Claudius, aliqua me loquente de Prouerbiis, de Canticis canticorum, de Prophetis, de libris quoque Regum et de Eptatico
audierat, quae ego scripto tradere prae infirmitate non potui,
ipse ea suo sensu dictauit, ne obliuione deperirent, ut apto
tempore haec eadem mihi inferret et emendatius dictarentur.
Quae cum mihi legisset, inueni dictorum meorum sensum
ualde inutilius fuisse permutatum. Vnde necesse est, ut tua
experientia, omni excusatione atque mora cessante, ad eius
monasterium accedat, conuenire fratres faciat et sub omni
ueritate quantascumque de diuersis scripturis chartulas
detulit, ad medium deducant. Quas tu suscipe et mihi
celerrime transmitte[33]. »

Grégoire nous apprend dans cette lettre que, pour des rai-
sons de santé, il n'a pu élaborer de sa propre main l'édition
originale d'un ensemble important de commentaires bibliques
qu'il avait d'abord présentés sous forme orale. Le commentaire sur le *Cantique des cantiques* fait partie de cet
ensemble. Claude, un moine ami et « disciple bien-aimé » qui
vient de mourir, avait pris sur lui par la suite de préparer une
édition provisoire de ces exposés auxquels il avait assisté ; il
était même venu en personne lire ces textes à Grégoire en le
pressant d'en faire une dernière révision. Nous avons ici la
réaction du pape à l'égard du travail effectué par Claude : tout
en ménageant l'amitié et l'empressement filial de celui-ci, il
confie à Jean de Ravenne que « le sens de ses paroles a été
modifié d'une façon bien malencontreuse ».

Grégoire prend alors des dispositions pour empêcher la

---

33. *MGH, Epist.*, t. II, p. 352.

diffusion de ce recueil de commentaires et les consignes qu'il adresse au sous-diacre Jean n'admettent aucune discussion, aucun délai : ce dernier doit se rendre immédiatement au monastère de Classe près de Ravenne, dont Claude a été l'abbé pendant les dernières années de sa vie, il doit réunir tous les moines et se faire remettre par eux toutes les notes exégétiques que son ami a accumulées et les faire parvenir au pape sans retard.

Cette mesure rigoureuse permit probablement à Grégoire de récupérer tous ses commentaires, mais il semble bien que des copies avaient été mises en circulation avant son intervention[34].

Par-delà ces suppositions, deux questions majeures viennent immédiatement à l'esprit : le pape a-t-il eu, à travers la charge du pontificat et malgré la maladie qui le minait, le loisir de réviser ces textes et de leur donner une forme définitive avant sa mort, survenue dès 604 ? Comment, du même coup, évaluer à sa juste mesure l'influence de la main de Claude sur « le sens des paroles » de Grégoire ? La réponse à ces deux questions ne peut venir que des textes, et c'est là que se trouve précisément la difficulté : de cet ample recueil de commentaires grégoriens, une partie infime seulement a pu parvenir jusqu'à nous. Il s'agit de notre texte sur les huit premiers versets du *Cantique* et du commentaire sur les seize premiers chapitres du *Premier Livre des Rois* que P. Verbraken a édités ensemble au tome 144 du *Corpus Christianorum*.

C'est dire que pour trouver une réponse aux deux questions posées, la base reste finalement étroite et laisse place à la divergence des opinions, qui s'affirme avec un relief beaucoup plus marqué au sujet du commentaire sur le

---

34. A preuve, la lettre de S. Colomban dont il a été fait mention plus haut et qui aurait été écrite en 599-600.

Premier Livre des Rois[35]. La contribution extrêmement précieuse que P. Meyvaert vient d'apporter au débat montre à l'évidence les distinctions qui s'imposent dans l'approche des deux textes[36]. On conviendra facilement avec lui que le commentaire sur le *Cantique* a gardé davantage, et dans sa structure et dans son style, les traits du langage parlé, de l'exposé pris en notes *sub oculis*. Les expressions banales comme *diximus, sicut prius diximus* reviennent à foison dans le texte et, indice supplémentaire, Grégoire interpelle en quelque sorte son *auditor*[37]. De même, les idées grégoriennes affleurent sous des phrases syncopées, dissymétriques, souvent mal reliées entre elles, qui reflètent incontestablement les caractéristiques du style oral[38].

Doit-on penser pour autant que Grégoire a improvisé son commentaire, qu'il s'est abandonné à l'inspiration du moment devant le livre ouvert du *Cantique* ? Certainement pas, comme nous en convaincra l'étude des sources. En effet, sa pensée et ses formules mêmes sont trop tributaires de certains textes d'Origène, quelques passages trahissent trop l'emprunt direct aux *Morales* pour laisser croire au simple jeu de la réminiscence. On est sûrement plus près de la réalité en pensant qu'au moment de s'adresser à son auditoire, Grégoire a dû avoir en main une ébauche assez précise qui venait supporter et ordonner sa réflexion. Selon la coutume,

---

35. Le débat vient de gagner en actualité depuis la parution récente de deux articles qui font le bilan des opinions reçues et qui jettent une lumière entièrement nouvelle sur le problème : P. MEYVAERT, « The Date of Gregory the Great's Commentaries on the Canticle of Canticles and on I Kings », dans *Sacris Erudiri* 23 (1978-1979), p. 191-216 ; A. DE VOGÜÉ, « Les vues de Grégoire le Grand sur la vie religieuse dans son commentaire des Rois », dans *Studia Monastica* 20 (1978), p. 17-63.

36. *Loc. cit.*, p. 212-216.

37. Cf. *In Cant.*, 43.

38. Il suffira de lire, pour s'en convaincre, les §§ 22-24 et plus spéciale-ment le § 37.

ses propos ont alors été recueillis sous forme sténographique par des notaires ou par Claude lui-même, le fidèle disciple qui, comme on le sait, assistait à l'exposé.

On peut se demander, en faisant un pas de plus, quel a été le rôle réel de Claude à l'égard de notre texte actuel du commentaire sur le *Cantique*. P. Meyvaert affirme, à partir d'indices textuels non négligeables, que « Claude n'a rien eu à voir avec ce commentaire dans l'état selon lequel il est parvenu jusqu'à nous[39] ». Nous hésitons tout de même à faire nôtre une conclusion aussi tranchée. On doit se rappeler ici que Claude était présent aux exposés de Grégoire, qu'il en a peut-être pris lui-même la sténographie et qu'il a été le premier dépositaire, le premier compilateur de ce recueil de commentaires. Le titre de notre commentaire sur le *Cantique* « offre, selon P. Verbraken, toutes les garanties d'une origine contemporaine de saint Grégoire[40] ». On y lit bien qu'il s'agit d'un « commentaire relevé depuis le début sur des notes ». En définitive, que ces notes aient été prises à l'audition par des notaires ou par Claude lui-même, c'est celui-ci qui a eu la responsabilité de les interpréter dans leur forme sténographique, de les transposer en écriture courante et de les soumettre à Grégoire dans une rédaction provisoire. Il serait vraiment étonnant qu'à l'intérieur de ce processus, Claude n'ait pas été forcé ou tenté de mettre une touche personnelle, si minime soit-elle, sur la forme du texte et se soit contenté de rapporter à Grégoire un exposé sur le *Cantique* resté à l'état de pur brouillon. Le mécontentement du pape à l'égard du travail de son disciple peut trouver là aussi son explication. En ce sens, les brèves remarques de Dom Capelle nous semblent rendre justice à l'intervention de Claude[41].

---

39. *Loc. cit.*, p. 214, note 48.
40. Introduction à l'édition critique, *CCL* 144, p. VIII.
41. *Loc. cit.*, p. 216-217.

Le problème de la date des commentaires sur le *Cantique* et sur les *Rois* vient lui aussi d'être relancé de façon magistrale par des articles de P. Meyvaert et d'A. de Vogüé. Dans une recherche où ils n'ont pu se concerter, ils en viennent de part et d'autre à une conclusion qui remet radicalement en question les données de l'opinion communément reçue jusqu'à présent[42]. On a en effet généralement admis avant eux que l'ensemble des commentaires bibliques mentionnés dans la lettre citée plus haut remontait à la période où Grégoire a vécu au milieu des moines au Mont Caelius, entre 586 et 590, année de son élection au pontificat.

En prenant appui sur la même lettre écrite en 602, on déduisait que Claude avait vécu à cette époque auprès de Grégoire. Voilà l'élément fondamental que P. Meyvaert[43] et A. de Vogüé[44] remettent sérieusement en doute. Aucun indice, en effet, ne permet de l'établir d'une façon sûre. On négligeait également de prendre en considération cinq autres mentions[45] importantes de Claude dans la correspondance du pape. L'analyse de ces mentions, relues en tenant compte des liens qu'elles entretiennent entre elles et avec la dernière lettre de 602, permettent d'affirmer que Claude a fait un long séjour auprès de Grégoire (... *longa apud nos hactenus mora retinuit*) pour qui il a été « d'un grand secours en ce qui

---

42. Cette opinion, mise en avant par les Mauristes, a été suivie par F.H. DUDDEN (*Gregory the Great. His place in History and Thought*, Londres 1905, t. I, p. 187-222), P. BATTIFOL (*Saint Grégoire le Grand*, Paris 1928², p. 47-51), O. PORCEL (*La doctrina monástica de San Gregorio Magno y la « Regula Monachorum »*, Washington 1951, p. 36-57), par Dom CAPELLE et P. VERBRAKEN, *loc. cit.* Nous-mêmes, dans la préparation de ce travail comme thèse de doctorat, avions défendu cette opinion.

43. *Loc. cit.*, p. 191-207.

44. *Loc. cit.*, p. 19-23.

45. *Epist. 2, 45 (MGH, Epist.*, t. I, p. 146) ; *Epist.* 6, 24 (t. I, p. 401-402) ; *Epist.* 8, 17 (t. II, p. 19-20) ; *Epist.* 8, 18 (t. II, p. 20-21) ; *Epist.* 9, 179 (t. II, p. 173-174).

concerne la parole de Dieu » (*magnum nobis ... erat in uerbo Dei solacium*)[46]. En suivant avec soin la chronologie des lettres comme P. Meyvaert l'a fait, on est autorisé à situer ce séjour de Claude à Rome entre 594 et 598.

Ce serait donc à cette époque, pendant le pontificat de Grégoire, que le commentaire sur le *Cantique*, comme tous les autres mentionnés dans la lettre de 602, a été composé. On sait que Claude est retourné à Classe en avril 598[47], et c'est probablement à partir de ce moment que, dans ce monastère dont il était l'abbé, il s'est employé à préparer une édition provisoire des exposés suivis auprès de Grégoire. Par la suite, il a été invité une dernière fois par le pape, dont le ton se faisait très pressant, à aller passer « cinq ou six mois » à Rome[48]. Cette lettre, datée de juillet 599, donne à penser que Claude s'est rendu à l'invitation de Grégoire et que c'est à ce moment qu'il a fait lecture à son maître de l'ensemble des textes qu'il s'était appliqué à éditer[49].

---

46. *Epist.* 8, 18 (*MGH*, t. II, p. 20-21).
47. Cf. P. MEYVAERT, *loc. cit.*, p. 194.
48. *Epist.* 9, 179 (*MGH*, t. II, p. 173-174).
49. Cf. P. MEYVAERT, *loc. cit.*, p. 214 ; A. DE VOGÜÉ, *loc. cit.*, p. 22.

II

LES SOURCES DU COMMENTAIRE

L'univers grégorien est avant tout en continuité féconde avec la tradition antérieure. S. Grégoire a élaboré, à partir de la doctrine vivante reçue de ses prédécesseurs, une œuvre originale qui a suscité la ferveur et l'admiration de son époque. Les données empruntées à l'héritage du passé reviennent dans ses écrits intégrées à sa propre pensée, enrichies de son expérience personnelle et remises en valeur à travers un langage qui les renouvelle et en prolonge fructueusement la portée.

L'unité profonde qui caractérise ainsi la pensée grégorienne rend difficile la tâche de mettre à jour les sources qui l'inspirent. R. Gillet le dit bien : « Un lecteur quelque peu familiarisé avec la patristique éprouve constamment l'impression de choses déjà entendues. Mais cherche-t-il la source de ce qu'il vient de lire ? Le plus souvent, toute possibilité de comparaison précise lui échappe. Il se trouve seulement en présence d'une vaste communauté d'atmosphère[1]. »

Le commentaire sur le *Cantique* permet de vérifier aisément la pertinence de ce point de vue. La trame du texte, bien grégorienne par le langage, l'ensemble des idées et les procédés exégétiques, laisse deviner à première vue des éléments de doctrine et des thèmes déjà mis en lumière dans la tradition antérieure. Mais ce n'est qu'au terme d'une fréquentation assidue de l'écrit que des rapprochements s'imposent et que les sources émergent avec plus de précision.

---

1. *Morales sur Job* (I-II), *SC* 32 bis, p. 13.

C'est ainsi que l'on peut reconnaître, à l'arrrière-plan du commentaire, quatre sources qui ont inspiré la réflexion de Grégoire à des degrés divers. La source que le lecteur avisé aura perçue en premier lieu, c'est Origène : l'intérêt manifeste que le pape a porté à l'exégèse origénienne du *Cantique* nous invite à considérer cette source avec le plus grand soin. Les autres sources méritent également de figurer à l'inventaire : elles sont plus implicites, plus réduites dans leur variété, mais elles n'en ont pas moins marqué réellement certains passages du texte. Compte tenu du problème corollaire que soulèvent les emprunts de Grégoire à la doctrine d'Origène, ces trois sources seront examinées ici dans un premier temps.

1. Saint Augustin

La doctrine de S. Grégoire est bien connue pour les accords profonds qu'elle présente avec celle de S. Augustin. On peut même dire que Grégoire s'impose d'emblée comme le « grand disciple[2] » de l'évêque d'Hippone. Celui-ci reste en effet le guide qu'il a suivi avec le plus d'assurance, le maître qu'il a fréquenté avec le plus d'aisance et d'admiration[3].

Il est normal dès lors que l'influence d'Augustin se fasse sentir à travers toute son œuvre. Il ne s'agit pas de la mesurer pleinement ici, mais de montrer simplement que cette influence est présente dans le commentaire sur le *Cantique* et de préciser à l'aide de quelques parallèles comment elle s'y fait jour.

---

2. H. DE LUBAC, *Exégèse médiévale*, 1ère partie, t. I, p. 187.

3. Il faut voir, par exemple, le ton qu'il mettait à recommander les œuvres d'Augustin à ses propres lecteurs : voir, à ce sujet, la lettre à Innocent, un correspondant qui vient d'être fait *praefectus Africae* (*MGH, Epist.*, X, 16 ; t. II, p. 251-252) ; de même, la lettre d'envoi des *Homélies sur Ézéchiel* à Marinien de Ravenne, où Grégoire associe dans un même éloge les noms d'Ambroise et d'Augustin (*MGH*, Epist., XII, 16 ; t. II. p. 363).

Le prologue du commentaire déploie quelques thèmes dont le contenu se révèle fondamentalement lié à la théologie d'Augustin. On a tout lieu de croire que Grégoire ne se réfère pas directement ici aux écrits de l'évêque d'Hippone, qu'il connaît par ailleurs parfaitement : c'est plutôt la mémoire ou de simples réminiscences qui viennent féconder sa réflexion et la maintenir dans cet horizon de familiarité profonde avec la doctrine du maître.

Dès les premières lignes du prologue, le thème de l'aveuglement de l'homme par le péché originel laisse transparaître un fond de pensée bien augustinien. Après la chute, le genre humain est voué à la cécité, à l'emprise de l'iniquité et de l'erreur[4]. Dans la même logique, l'idée de l'abaissement de Dieu dans sa Parole, que Grégoire affirme avec force, avait déjà été esquissée en termes analogues par Augustin[5].

Parenté de pensée particulièrement frappante, quand l'un et l'autre auteur expliquent que le mystère de Dieu ne se dévoile dans les Écritures qu'à celui qui sait mener son étude avec piété et ardeur :

AUGUSTIN, *Serm. Mai* 26,1 :

Mysteria Dei non ad hoc celari, quia inuidentur discentibus, sed ut non aperiantur nisi quaerentibus. Ad hoc autem de scripturis sanctis clausa recitantur, ut ad quaerendum erigant animum (*PLS* 2, 472).

GRÉGOIRE, *In Cant.*, 4 :

Ad hoc quippe utilis est ut mysteria litterae inuolucris tegantur, quatenus sapientia requisita plus sapiat... *Gloria Dei celare uerbum* (*Prov.* 25, 2). Menti enim Deum quaerenti tanto Deus gloriosius apparet, quanto subtilius atque interius inuestigatur, ut appareat.

---

4. AUGUSTIN, *In Jo.*, 44, 1 (*CCL* 36, p. 381) ; *In Jo.*, 34,9 (*CCL* 36, p. 315) ; *Serm.* 28, 3 (*CCL* 41, p. 369). GRÉGOIRE, *In Cant.*, 1.

5. AUGUSTIN, *En. in Ps. 103*, s. 4, 1 (*CCL* 40, p. 1521). GRÉGOIRE, *In Cant.*, 3.

On aura remarqué de part et d'autre le thème de la quête ; en outre, Grégoire désigne le sujet de cette quête par *mens*, vocable bien augustinien qui fait référence à la faculté supérieure de l'âme.

Encore au prologue du commentaire, les vues que nous propose Grégoire sur la double dimension, lettre et esprit, de l'Écriture, situe son exégèse dans la plus pure lignée augustinienne. Celui qui s'en tient à une lecture matérielle, charnelle, du texte sacré est voué à la servitude des bêtes[6], et sa déchéance devient encore plus grande dans une semblable lecture du *Cantique*[7].

Même si Augustin n'a pas consacré de commentaire continu au livre du *Cantique*, il en a cité et commenté plusieurs versets dans son œuvre, ce qui permet de retrouver dans ses lignes essentielles l'interprétation qu'il a donnée de ce poème biblique[8]. Des versets commentés par Grégoire, certains reviennent à plusieurs reprises dans les écrits augustiniens[9]. Il faut toutefois noter au départ que les enseignements du maître et ceux de son disciple baignent dans des contextes différents : chez l'évêque d'Hippone, l'interprétation accuse parfois une intention polémique que l'on sait dirigée directement contre la secte de Donat ; en même temps, on perçoit toujours dans ses développements le souci de maintenir le texte biblique dans une perspective uniquement néo-testamentaire, afin d'éviter toute concession à la thèse manichéenne. Grégoire, de son côté, met lui aussi ses

---

6. AUGUSTIN, *De Doct. chr.*, 3, 5, 9 (*CCL* 32, p. 82-83). GRÉGOIRE, *In Cant.*, 4.

7. AUGUSTIN, *De Spir. et Lit.*, 4, 6 (*PL* 44, 203). GRÉGOIRE, *In Cant.*, 4.

8. Un relevé complet de ces citations a été établi par A.M. LA BONNARDIÈRE, « Le Cantique des Cantiques dans l'œuvre de saint Augustin », dans *RE Aug.* 1 (1955), p. 225-237.

9. Cf. A.M. LA BONNARDIÈRE, *loc. cit.*, p. 229-230.

auditeurs en garde contre le danger des faux maîtres et des mauvais pasteurs[10] ; cependant, cette préoccupation apparaît moins vive chez lui et, dans l'ensemble, ses propos gardent le ton plus serein de la méditation et de l'entretien spirituel.

C'est d'abord dans l'exégèse du *Nigra sum sed formosa* que Grégoire semble retrouver la pensée d'Augustin dans une lumière plus nette. L'un et l'autre appliquent en effet l'expression au visage nouveau des peuples païens venus à la foi :

AUGUSTIN, *En. in Ps.* 73, 16 :	GRÉGOIRE, *In Cant.*, 36 :
Quomodo intellego populos Aethiopes ? Quomodo, nisi per hos, omnes Gentes ? ... Ipsi uocantur ad fidem qui nigri fuerunt ; ipsi prorsus, ut dicatur eis : *Fuistis enim aliquando tenebrae ; nunc autem lux in Domino* ... De his enim fit ecclesia ... Quid enim de nigra factum est, nisi quod dictum est : *Nigra sum, et speciosa* (*CCL* 39, p. 1014).	Ista, quae de synagoga diximus ad fidem uocata, dicamus modo de ecclesia ad fidem uocata : *Nigra sum, sed formosa* ... Quomodo nigra ? *Sicut tabernacula Cedar.* Cedar tabernacula gentium fuerunt, tabernacula tenebrarum fuerunt ; et gentibus dictum est : *Fuistis aliquando tenebrae, nunc autem lux in Domino.*

On notera que, pour les deux auteurs, la couleur noire symbolise les ténèbres de l'ignorance où étaient plongés les païens avant leur venue à la foi. Ils s'appuient également tous les deux sur le texte de Paul en *Éphés.* 5, 8.

L'accord entre le maître et le disciple n'est pas moindre dans l'exégèse du verset 6. Augustin y est revenu souvent[11] ; la plupart des passages où ce verset est cité réaffirment la doctrine traditionnelle du baptême et nous entraînent au

---

10. Cf. *In Cant.*, 42-43.
11. Cf. A.M. LA BONNARDIÈRE, *loc. cit.*, p. 230.

cœur de la controverse anti-donatiste. Sans faire allusion à ce problème précis, Grégoire prend aussi occasion du texte biblique pour dénoncer les hérétiques et prévenir les dangers de division dans l'Église. Dans cette perspective, sa pensée reste liée aux enseignements d'Augustin :

AUGUSTIN, *Serm.*, 138, 7 :	GRÉGOIRE, *In Cant.*, 42 :
Annuntia mihi ubi pascis, ubi cubas in meridie ... ne incurram in eos qui alia de te dicunt, alia de te sentiunt ; alia de te credunt, alia de te praedicant ... Annuntia mihi ... qui sunt sapientes et fideles, in quibus maxime requiescis : ne forte sicut latens incurram in greges non tuos, sed sodalium tuorum (*PL* 38, 767).	Sodales Dei sunt amici, familiares, sicut sunt omnes qui bene uiuunt. Sed multi apparent sodales esse, et sodales non sunt ... *Indica mihi, ubi pascas, ubi cubes in meridie : ne uagari incipiam post greges sodalium tuorum.* Ac si dicat : Indica, in quorum corda ueraciter requiescis : ne incipiam uagari post greges eorum, qui sodales tui uidentur, id est qui familiares tui credentur, et non sunt.
Serm. 295, 5, 5 :	*In Cant.*, 43 :
Annuntia mihi, quem dilexit anima mea, ubi pascis, ubi cubas in meridie ... Annuntia, inquit, mihi, ubi pascis ubi cubas in meridie, in splendore ueritatis, in feruore caritatis (*PL* 38, 1351).	*Indica mihi, quem diligit anima mea : ubi pascis, ubi cubas, in meridie.* Vitam mihi ueraciter seruientium tibi indica : ut sciam ubi cubes in meridie, id est ubi requiescas in feruore caritatis.

Les textes de Grégoire et d'Augustin présentent dans leur contenu des liens très étroits. Soulignons plus spécialement l'emploi commun du verbe *requiescere* pour caractériser les vrais fidèles en qui l'Époux peut se reposer.

2. Aponius

Le deuxième nom qu'on doit inscrire à l'inventaire des sources du commentaire grégorien est celui d'Aponius. L'ouvrage unique que la tradition a conservé sous son nom est resté peu connu : il s'agit précisément d'un commentaire sur le *Cantique*[12]. Ce texte nous intéresse surtout par les traits communs qu'il présente avec le commentaire de Grégoire. Si l'on rapproche entre eux certains passages des deux œuvres, on peut même croire à la dépendance directe d'un des deux auteurs vis-à-vis de l'autre. La question de savoir dans quel sens a pu jouer une telle relation de dépendance se pose évidemment à l'intérieur du problème de la chronologie d'Aponius.

La tradition nous aide bien peu dans l'approche de ce problème. Il est vrai qu'Aponius est cité explicitement à deux reprises par Bède le Vénérable[13] ; c'est dire qu'il a vécu avant l'époque où celui-ci écrivait, plus exactement avant le début du VIIIe siècle. Mais ce point de repère nous entraîne déjà plus d'un siècle après Grégoire et il ne peut ainsi nous indiquer si Aponius lui est antérieur ou postérieur.

De même, au IXe siècle, Angelome de Luxeuil emprunte à Aponius de larges extraits de son commentaire, mais il ne nous fournit aucun renseignement positif sur cet auteur dont il semble ignorer le nom[14] ; au plus, se contente-t-il de le citer

---

12. *PLS* 1, 800-1031. Le texte d'Aponius est reproduit ici d'après la première édition complète, donnée en 1843 par deux cisterciens romains, H. BOTTINO et J. MARTINI : *Aponii in Canticum Canticorum explanationis libri 12*, Romae, typis S. Congregationis de Propaganda Fide, 1843.

13. *In Cantica Canticorum*, lib. II et IV (*PL* 91, 1112 et 1162).

14. *Enarrationes in Canticum Canticorum, PL* 115, 551-628. Cette œuvre est un centon parfait qui compile des passages des commentaires de Grégoire, d'Aponius, de Just d'Urgel et d'Alcuin. Pour le commentaire des huit premiers versets du *Cantique,* Angelome emprunte presque intégrale-

sous la mention vague *quidam doctorum*[15], ce qui laisse supposer qu'en utilisant le commentaire d'Aponius il croyait avoir en main un texte qui remontait déjà à plusieurs siècles.

A défaut de données historiques précises, il ne reste donc qu'un seul recours pour connaître un peu mieux Aponius et c'est son propre commentaire. Au cours des derniers siècles, quelques historiens ont ouvert la recherche de ce côté, mais leurs conclusions se sont révélées incertaines, voire contradictoires[16]. C'est finalement à Johannes Witte que revient le mérite d'avoir éclairci l'énigme de la chronologie d'Aponius[17]. Il a en effet démontré, sur la base même du commentaire, que son auteur ne peut avoir vécu que dans les années qui couvrent la fin du IVe siècle et le début du Ve siècle. Cela veut donc dire qu'Aponius est bien antérieur à Grégoire et a pu lui servir de source.

Les repères chronologiques posés par Witte situent précisément la date de composition du commentaire d'Aponius entre 405 et 415[18]. L'autorité qu'il a su donner à sa recherche nous dispense de refaire après lui la longue démarche qui l'a amené à cette conclusion[19].

---

ment le texte de Grégoire (554-577) ; pour l'utilisation qu'il fait d'Aponius, voir par exemple : Ang. 577-579 = Ap. 839-841 ; Ang. 585-587 = Ap. 848-851.

15. Par exemple, col. 583 B.

16. Cf. Présentation du commentaire (*PLS* 1, 799-800).

17. *Der Kommentar des Aponius zum Hohenliede*, Erlangen 1903. Cette dissertation est dédiée par Witte à ses maîtres ; il est intéressant de remarquer parmi ceux-ci les noms de Harnack, von Soden, Zahn...

18. *Loc. cit.*, p. 28.

19. *Loc. cit.*, p. 8-28. Des études plus récentes sont venues éclaircir la question dans le même sens que Witte ; par exemple : P. COURCELLE, *Les lettres grecques en Occident*, Paris 1948, p. 128 ; F. CAVALLERA, art. « Cantique des Cantiques », dans *DS*, t. II, col. 99 ; F. OHLY, *Hohelied-Studien. Grundzüge einer Geschichte der Hohelied-auslegung des Abendlandes bis um 1200*, Wiesbaden 1958, p. 51.

A la fin de son ouvrage, Witte lui-même signale, à l'aide de quelques textes parallèles, la parenté de pensée qui existe entre Aponius et Grégoire[20]. Avant de reprendre ces textes et de compléter le tableau par d'autres aussi significatifs, une remarque préalable s'impose : la parenté entre les deux auteurs mérite parfois un examen plus poussé, puisque dans certains développements elle peut s'expliquer tout simplement par le recours commun à Origène[21].

Pour Grégoire comme pour Aponius, le *Cantique des cantiques* décrit symboliquement les épousailles du Christ et de l'Église. C'est dans des termes identiques que les deux auteurs s'appuient ici sur la pensée de Paul :

APONIUS, *In Cant.*, lib. I :	GRÉGOIRE, *In Cant.*, 8 :
Hi ergo omnes Patriarchae uel Prophetae futuram ineffabilem Christi et Ecclesiae copulam cecinerunt. Apostolus iam celebratam exposuit dicens : ... *Despondi enim uos uni uiro, uirginem castam exhibere Christo (II Cor. 11, 2) (PLS 1, 806).*	In hoc ergo libro, ubi sponsus dicitur, aliquid sublimius insinuatur, dum in eo foedus coniunctionis ostenditur. Quae nomina in testamento nouo (quia iam peracta coniunctio uerbi et carnis, Christi et Ecclesiae, celebrata est) frequenti iteratione memorantur ... Vnde Ecclesia dicitur : *Desponsaui uos uni uiro uirginem castam exhibere Christo (II Cor. 11, 2).*

Grégoire amplifie le texte d'Aponius en retenant une idée essentielle : le mariage du Christ et de l'Église est déjà

---

20. *Loc. cit.*, p. 93-94.

21. Tel est le cas, nous semble-t-il, quand interviennent chez Aponius (*PLS* 1, 807-808) et chez Grégoire (*In Cant.*, 12) l'idée d'une *Ecclesia ab Adam* et le thème de l'envoi des messagers qui se succèdent pour annoncer la venue de l'Époux (cf. ORIGÈNE, *Com. in Cant.*, lib. II, *GCS* 8, p. 157, et *Com. in Cant.*, lib. I, *GCS* 8, p. 90).

consommé, comme l'exprime la correspondance *iam celebratam - iam peracta*.

Les deux auteurs commentent dans le même sens l'image des seins de l'Époux :

APONIUS, *In Cant*., lib. I :	GRÉGOIRE, *In Cant*., 29 :
... perfecti uiri Apostolici qui praesunt populo Christiano doctores, ubera Christi intelligantur, per quos Christus paruulas animas nutrit (*PLS* I, 808).	Sancti ergo uiri ubera sponsi sunt : quia ex intimis trahunt et exterius nutriunt. Vbera illius sunt apostoli, ubera illius sunt omnes praedicatores ecclesiae.

A la suite d'Aponius et en faisant comme lui appel à S. Paul, Grégoire présente la chambre royale de l'Époux comme le lieu qui ouvre l'accès aux mystères les plus cachés :

APONIUS, *In Cant*., lib. I :	GRÉGOIRE, *In Cant*., 26 :
Introduxit me Rex in cellaria sua, exultabimus et laetabimur in te ... Et ubi bene cursu adolescentulas docuit nunc introductam se gaudet in cellaria Regis Christi ; in illa procul dubio cellaria, ubi sunt *thesauri sapientiae et scientiae* Dei (*Col.* 2, 3)... Vbi audit *uerba arcana* in Paulo, *quae non licet homini loqui* (*II Cor.* 12, 4) (*PLS* I, 812)	*Introduxit me rex in cubiculum suum. Exultabimus et laetabimur in te*... Omnis, qui in ecclesia positus iam occulta iudicia considerat, quasi in cubiculum intrauit ... De cubiculo regis loquebatur, qui dicebat : *Secretum meum mihi* (*Is.* 24, 16) ; et alias : *Audiui archana uerba, quae non licet hominibus loqui* (*II Cor.* 12, 4).

Dans le commentaire de *Cant.* 1, 3, Aponius et Grégoire se rejoignent dans une même ligne d'interprétation : l'image du parfum répandu illustre la diffusion progressive du nom de Dieu dans le monde, à partir du mystère de l'Incarnation.

Ils se distinguent en cela d'Origène[22] et d'Augustin[23] pour qui le parfum répandu symbolise plutôt la diffusion du nom de Jésus par l'évangile et la prédication :

APONIUS, *In Cant.*, lib. I :	GRÉGOIRE, *In Cant.*, 21 :
Vnguentum effusum nomen tuum... Introducto autem unius ueri Dei nomine per incarnationis mysterium, recondito in corporeo uasculo ... nunc quasi effuso uase unguenti in domo, cunctis innotescit et tota domus repletur odore ... (*PLS* I, 810).	*Vnguentum effusum nomen tuum...* Vnguentum effusum est diuinitas incarnata. Si enim sit unguentum in uasculo, odorem exterius minus ; si uero effunditur odor effusi unguenti dilatatur. Nomen ergo dei unguentum effusum est : quia ab inmensitate diuinitatis suae ad naturam se exterius fudit... Si enim non se effunderet, nequaquam nobis innotesceret.

De part et d'autre, la chair du Christ (*incarnationis mysterium - diuinitas incarnata*) est le vase qui laisse échapper le nom de Dieu, le parfum de la connaissance divine (*innotescere*)

Deux autres textes viennent encore rendre compte du lien qui s'affirme entre Aponius et Grégoire. Le fond de pensée s'y révèle rigoureusement le même au point d'accuser une certaine parenté jusque dans le vocabulaire :

APONIUS, *In Cant.*, lib. I :	GRÉGOIRE, *In Cant.*, 32 :
Nigra sum sed formosa, filiae Ierusalem, sicut tabernacula Cedar, et sicut pelles Salomonis... In pellibus autem, ut	*Nigra sum et formosa, filiae Hierusalem, sicut tabernacula Cedar, sicut pellis Salomonis ...* Sed quia Salomon interpretatur

---

22. Cf. *Hom. in Cant.*, 1, 4 (*GCS* 8, p. 33) ; *Com. in Cant.*, lib. I (*GCS* 8, p. 101).

23. Cf. *En. in Ps.* 30, en. 2, s. 3, 9 (*CCL* 38, p. 219).

diximus, magnae contegi personae monstrantur, quae... ad
instar pellium mortuarum, cru-
cifigendo cum Christo carnem
suam redigunt, quatenus possunt in se Christi similitudinem
trahere. In cuius persona intro-
ducitur Salomon, qui pacificus
interpretatur, qui omnimodo
uerus pacificus intelligitur
Christus, qui est Ecclesiae
pax... (*PLS* I, 820).

pacificus, nos ipsum uerum
Salomonem intellegamus : quia
omnes animae adherentes deo
pelles Salomonis sunt, macerantes se ipsas et in obsequium
regis pacis redigentes...

Sans doute n'est-il pas original d'interpréter le nom de
Salomon à partir de son étymologie. Mais les deux auteurs
s'entendent pour reconnaître dans le Christ le véritable
Salomon. D'autre part, les fidèles sont appelés « peaux de
Salomon » à cause de l'ascèse qu'ils imposent à leur chair et
qui est caractérisée dans les deux textes par le verbe *redigere*.

Il nous semble, enfin, que la dépendance de Grégoire à
l'égard d'Aponius se laisse aussi percevoir dans l'exégèse du
verset 6 du *Cantique*. Aponius, qui donne beaucoup
d'ampleur à sa réflexion[24], présente d'abord les fidèles en qui
l'Époux se plaît à reposer : ce sont ces « philosophes
célestes », ces « âmes parfaites » que le rude exercice de
l'ascèse a gardés dans la rectitude de la foi[25]. Par la suite, il
assimile clairement les *greges sodalium* aux sectes hérétiques
qu'il dénonce avec vigueur[26] : voilà les troupeaux de faux
compagnons qui ont empoisonné la doctrine et qui
continuent à convier l'Épouse à leur table pour l'entraîner
dans l'erreur.

---

24. *PLS* 1, 824-830.

25. Cf. col. 824-828.

26. Cf. col. 829-830. On notera que les listes d'hérétiques données par
Aponius nous situent avant le ve siècle.

Grégoire reprend pour sa part les mêmes idées, mais dans un développement plus sobre. L'Époux né peut paître et se reposer que dans le cœur de ceux qui vivent d'« une foi ardente » et qui cultivent « l'herbe verte des vertus[27] ». Quant aux *greges sodalium*, ce sont ces faux docteurs qui, à la manière d'Arius, de Sabellius et de Montan, ont fait figure de compagnons, mais se sont révélés des ennemis par leur doctrine pernicieuse[28].

3. Grégoire, source pour lui-même

Une troisième source qui se fait jour à l'arrière-fond du commentaire, c'est Grégoire lui-même, se souvenant des *Morales* sur Job qu'il avait écrites pendant son séjour à Constantinople. Il s'agit ici d'une véritable source qui a marqué le contenu et la forme même de notre texte. Quelques parallèles suffiront à faire voir que Grégoire a effectué un retour explicite aux *Morales* dans la composition du commentaire.

Le thème de l'aveuglement de l'homme par le péché d'origine, pour être fondamentalement augustinien, est remis en valeur dans le commentaire à travers des formules empruntées aux *Morales* :

Mor., 8, 49 : Nam quia a paradisi gaudiis expulsum in hoc iam exsilio natura edidit, quasi a natiuitate homo sine oculis processit (*CCL* 143, p. 421)[29].

In Cant., 1 : Postquam a paradisi gaudii expulsum est genus humanum, in istam peregrinationem uitae praesentis ueniens caecum cor ab spiritali intellectu habet.

---

27. Cf. *In Cant.*, 41.

28. Cf. *In Cant.*, 42.

29. Voir aussi : *Mor.*, 4, 45 (*CCL* 143, p. 190) ; *Mor.*, 5, 61 (*CCL* 143, p. 260) ; *Mor.*, 9, 20 (*CCL* 143, p. 470).

Faisant allusion à la prescription d'*Ex.* 19, 12-13, Grégoire se réfère nettement à une allégorie déjà développée dans les *Morales* :

Mor., 6, 58 : Bestia enim montem tangit, cum mens irrationabilibus desideriis subdita ad contemplationis alta se erigit (*CCL* 143, p. 329)	*In Cant.*, 5 : Bestia enim tangit montem, quando irrationabilibus motibus dediti scripturae sacrae celsitudini propinquant...

On remarquera encore la rigueur des parallèles dans les passages suivants où Grégoire commente de part et d'autre le premier verset du *Cantique* :

Mor., 14, 51 : Hinc est etiam quod de illo a sponsa praesentiam eius desiderante dicitur : Osculetur me osculis oris sui (*CCL* 143 A, p. 729).	*In Cant.*, 12 : ... sed tamen sponsi sui praesentiam quaerebat, quae dicit : *Osculetur me osculis oris sui.*
Mor., 14, 51 : Vnde et Matthaeus, cum praecepta ab eo dari in monte describeret, ait : *Aperiens os suum, dixit* (*Matth.* 5, 2). Ac si patenter dicat : Tunc os suum aperuit, qui prius aperuerat ora prophetarum (*CCL* 143 A, p. 728-729).	*In Cant.*, 12 : Vnde et de eodem sponso in euangelio scriptum est cum sederet in monte et sublimium praeceptorum uerba faceret : *Aperiens autem Jesus os suum, dixit* (*Matth.* 5, 2). Ac si dicatur : Tunc os suum aperuit, qui prius ad exhortationem ecclesiae aperuerat ora prophetarum.

L'interprétation que Grégoire donne du verset 8 dans le commentaire s'aligne sur celle qu'il a déjà donnée à deux reprises dans les *Morales*[30]. Dans le cas présent, toutefois, un examen plus poussé des sources de Grégoire nous fait remon-

---

30. Cf. *Mor.*, 16, 56 (*CCL* 143 A, p. 832) ; *Mor.*, 30, 56 (*PL* 76, 554 D - 555 A).

ter plus loin. Au moment où Grégoire écrit, la ligne d'interprétation qu'il adopte est déjà classique. On remarque en effet les mêmes éléments chez Augustin et avant lui chez Origène :

ORIG., *Com. in Cant.*, lib. II : Nisi cognoueris te, o bona siue pulchra inter mulieres... Nisi cognoueris temetipsam... quod ad imaginem Dei facta es... (*GCS* 8, p. 141).	AUG., *En. in Ps. 66*, 4 : Nisi cognoueris temetipsam, o pulchra inter mulieres... Quid est hoc ? Nisi cognoueris ad imaginem Dei te factam... (*CCL* 39, p. 861).	GRÉG., *In Cant.*, 44 : Si ignoras te, o pulchra inter mulieres... Qui enim se ipsum scit, cognoscit quia ad imaginem dei factus est...

Ainsi, pour les trois auteurs, la connaissance de soi commence par la reconnaissance de l'image de Dieu en tout homme. En plus, la dépendance de Grégoire à l'égard d'Augustin et d'Origène reste constante dans toute l'exégèse du verset. Chacun d'eux interprète le texte biblique dans le sens d'une mise en garde des fidèles contre les comportements païens et contre les menées des mauvais pasteurs.

Enfin, dans plusieurs autres passages du commentaire, Grégoire développe sa pensée en s'inspirant tout aussi librement des *Morales*[31]. Ces passages, comme les parallèles déjà établis, permettent de vérifier le lien réel qui existe entre le commentaire sur le *Cantique* et les *Morales sur Job*.

4. Origène

Le P. de Lubac a déjà étudié en profondeur l'apport déterminant de l'exégèse et de la pensée d'Origène dans

---

31. Cf. *In Cant.* 1 = *Mor.*, 5, 51 (*CCL* 143, p. 253) ; *In Cant.*, 4 = *Mor.* 26, 53 (*PL* 76, 381 B) ; *In Cant.*, 22 = *Mor.*, 24,8 (*PL* 76, 291 A) ; *In Cant.*, 29 = *Mor.*, 30, 48 (*PL* 76, 550 D - 551 A).

l'œuvre grégorienne[32]. Grégoire se révèle l'héritier d'Origène non seulement par sa manière d'entendre le triple sens de l'Écriture, mais « encore par certains détails d'exégèse et par une ressemblance d'esprit qui est peut-être connaturelle. Même, il n'est pas jusqu'à certains mots, certaines expressions ou certains tours de phrase caractéristiques du style grégorien, qui n'évoquent ceux de son grand devancier grec, au moins sous la forme que le latin de Rufin leur avait donnée. Dans la question qui nous occupe, il semble que saint Grégoire dépende finalement d'Origène plus encore que de saint Augustin[33]. »

Notre commentaire vient illustrer les propos du P. de Lubac, à l'encontre de la remarque trop rapide de M. Frickel sur cette question de la dépendance de Grégoire à l'égard du maître alexandrin[34]. Le rapprochement du commentaire grégorien avec les homélies et le commentaire d'Origène sur le *Cantique* nous amène rapidement à la conclusion suivante : Grégoire a interprété le poème biblique en se référant directement et même avec une certaine insistance aux textes d'Origène, à travers les traductions de Jérôme et de Rufin.

Un article de P. Meyvaert montre bien les affinités de pensée et même les contacts littéraux qui se retrouvent dans les textes des deux commentateurs[35]. Il devient superflu de reprendre après lui la série de parallèles qu'il a alignés pour

---

32. Cf. *Exégèse médiévale*, 1ère Partie, t. I, p. 198-257 ; t. II. p. 586-599 ; 2e partie, passim.

33. *Loc. cit.*, t. I, p. 211-212.

34. « ... Der orthodoxe Papst dürfte sich also auch aus diesem Grunde nicht mit den lateinischen Werken des Origenes beschäftigt haben ». *Deus totus ubique simul. Untersuchungen zur allgemeinen Gottesgegenwart in Rahmen der Gotteslehre Gregors des Grossen*, Freiburg 1956, p. 75, n. 67.

35. « A new Edition of Gregory the Great's Commentaries on the Canticle and I Kings », dans *JTS* 19 (1968), p. 215-225.

étayer sa preuve[36]. Qu'il suffise de compléter l'inventaire avec d'autres textes que nous avons nous-mêmes relevés.

C'est à partir d'une esquisse empruntée à Origène que Grégoire explique le titre du livre biblique : *Cantique des cantiques*. On notera qu'Origène désigne le livre au pluriel, suivi en cela par Grégoire :

ORIGÈNE, *Hom. in Cant.*, I, 1 :	GRÉGOIRE, *In Cant.*, 6 :
Quomodo didicimus per Moysen esse quaedam non solum sancta, sed et sancta sanctorum, et alia non tantum sabbata, sed et sabbata sabbatorum, sic nunc quoque docemur scribente Solomone esse quaedam non solum cantica, sed et cantica canticorum (*GCS* 8, p. 27).	Nec uacue adtendendum est, quod liber iste non canticum sed Canticum canticorum uocatur. Sicut enim in ueteri testamento alia sunt sancta et alia sancta sanctorum, alia sabbata et alia sabbata sabbatorum ita in scriptura sacra alia sunt cantica et alia Cantica canticorum.

Commentant le premier verset du *Cantique*, Grégoire explique, à la façon d'Origène, que la venue de l'Époux en personne vient couronner une longue attente d'abord nourrie par la succession des messagers. On verra aussi que l'image des présents précédant l'arrivée de l'Époux remonte à Origène :

ORIGÈNE, *Com. in Cant.*, lib. I :	GRÉGOIRE, *In Cant.*, 12 :
Osculetur me ab osculis oris sui... obsecuti sunt et ministrauerunt mihi angeli sancti eius deferentes ad me legem sponsalis muneris loco ... Ministrauerunt mihi etiam pro-	*Osculetur me osculis oris sui.* Angelos ad eam dominus, patriarchas ad illam et prophetas miserat, spiritalia dona deferentes... suspirans enim sancta ecclesia... ad patrem uerba orationis facit, ut filium

---

36. *Loc. cit.*, p. 221-223.

phetae... propter hoc ad te patrem sponsi mei precem fundo et obsecro... ut iam non mihi per ministros suos angelos dumtaxat et prophetas loquatur, sed ipse per semetipsum ueniat.. uerba scilicet in os meum sui oris infundat (*GCS* 8, p. 90).

dirigat et sua illam praesentia inlustret, ut eidem ecclesiae non iam per prophetarum sed suo ore adlocutionem faciat.

Chez les deux auteurs, au moment même où l'Épouse déplore l'absence de l'Époux, elle s'aperçoit soudain qu'il est déjà là :

ORIGÈNE, *Com. in Cant.*, lib. I :

Dumque haec orat ad patrem... sponsa... sermonem conuertit ad praesentiam sponsi qui aderat et cum dixisset... subiungit post haec ad praesentem iam sponsum loquens : *bona ubera tua super uinum* (*GCS* 8, p. 92).

GRÉGOIRE, *In Cant.*, 13 :

Dum ergo sancta ecclesia incarnandum sponsum adhuc absentem desiderat, subito intuetur praesentem atque subiungit : *Quia meliora sunt ubera tua uino.*

Pour Grégoire comme pour Origène, le vin, que l'on compare aux seins de l'Époux, est assimilé à la science de la loi et des prophètes :

ORIGÈNE, *Com. in Cant.*, lib. I :

Vinum autem illa intelligenda sunt dogmata et doctrinae, quae per legem et prophetas ante aduentum sponsi sumere sponsa consueuerat (*GCS* 8, p. 94).

GRÉGOIRE, *In Cant.*, 13 :

Vinum fuit scientia legis, scientia prophetarum.

Des parallèles aussi caractéristiques, s'ajoutant à ceux qu'a déjà relevés P. Meyvaert, suffisent à nous convaincre que Grégoire a fait d'Origène son maître et son modèle de prédilection dans l'interprétation du *Cantique*. Pourtant, on sait qu'à l'époque où se situe notre commentaire, nous sommes à moins d'un demi-siècle de la condamnation d'Origène. Comment dès lors expliquer ce retour non équivoque du grand pape aux écrits de celui dont on dénonce ouvertement l'hérésie et qu'on accuse de tous les maux ?

P. Meyvaert aborde la question mais il ne s'y attarde pas[37]. Le texte qu'il cite[38] rend bien compte de l'attitude fondamentale de Grégoire à l'endroit des hérétiques : attitude empreinte de souplesse et de compréhension, mais non pour autant dépourvue de lucidité. Dans le cas précis d'Origène pourtant, il s'avère nécessaire de pousser l'enquête un peu plus loin.

Le problème d'Origène a tenu la plupart des auteurs du Moyen Age dans l'embarras[39]. Grégoire, le premier, semble éprouver le même sentiment. Une fois seulement, à travers tous ses écrits, il mentionne explicitement le nom d'Origène[40]. Dans le passage concerné, il juxtapose les opinions de

---

37. *Loc. cit.*, p. 224.

38. *Mor.* 5, 49 : « Nonnumquam uero haeretici uera quaedam et sublimia loquuntur, non quo haec diuinitus ipsi percipiunt sed quo ex sanctae Ecclesiae contentione didicerunt ; neque haec ad profectum conscientiae sed ad scientiae ostentationem trahunt. Vnde fit plerumque ut alta sciendo dicant sed uiuendo quae dicunt nesciant » (*CCL* 143, p. 251). Grégoire s'exprime dans le même sens lorsqu'il en vient à considérer les hérétiques comme des « amis ». Cf. *Mor.*, 3, 46 : « Haeretici autem, quia sanctam Ecclesiam sua docere desiderant, ad eam quasi consolantes appropinquant. Nec mirum quod qui aduersantium formam exprimunt, amici nominantur... quia etsi per nos mali corrigi neglegunt, dignum tamen est ut a nobis non ex sua nequitia, sed ex nostra benignitate nominentur » (*CCL* 143, p. 144-145).

39. Cf. H. DE LUBAC, *Exégèse médiévale*, 1ère partie, t. I, p. 246 s.

40. *In I Reg.*, lib. 2, 157-158 (*CCL* 144, p. 203).

Novatien et d'Origène sur le salut des pécheurs. Pour le premier, la justice divine condamne tous les pécheurs ; pour le second, tout péché trouve miséricorde devant Dieu, et cela même chez les anges déchus. Grégoire s'en tient à une position plus nuancée et n'insiste pas sur le cas d'Origène. Dans les *Morales*[41], il revient sur le même sujet en parlant cette fois non pas d'Origène mais des origénistes. Enfin, on remarque la même discrétion de Grégoire dans les listes d'hérétiques qu'il nous a laissées[42]. On y retrouve le nom de la plupart des écrivains que la tradition antérieure a frappés d'anathème, mais jamais celui d'Origène.

Autre fait significatif : Grégoire se trouve précisément à l'époque où les controverses et les schismes se multiplient autour des conclusions du deuxième concile de Constantinople. Il est facile de constater que Grégoire se montre particulièrement réservé dans le débat. Par exemple, à la demande de l'évêque Constance, il consent à ne pas faire mention de ce concile dans sa correspondance avec la reine Théodélinde[43]. Demande qu'il honore scrupuleusement par la suite[44]. Disons enfin qu'en aucune des lettres où Grégoire est amené à parler du cinquième concile œcuménique, on ne trouve mentionné le nom d'Origène ni explicitement ni implicitement[45].

Tous ces faits mis ensemble nous inclinent à conclure dans le sens suivant : pour avoir vécu moins de quarante ans après le concile à Constantinople même, Grégoire a pu connaître

---

41. *Mor.*, 34, 38 (*PL* 76, 739 C).

42. *Mor.*, 19, 27 (*CCL* 143 A, p. 978) ; *Mor.*, 20, 16 (*CCL* 143 A, p. 1015) ; *Reg. Ep.*, I, 24 (*MGH, Epist.*, t. I, p. 36) ; *In Cant.*, 42.

43. *Reg. Ep.*, 4, 37 (*MGH, Epist.*, t. I, p. 273).

44. *Reg. Ep.*, 4, 33 (*MGH, Epist.*, t. I, p. 268-269) ; 14, 12 (t. II. p. 431).

45. *Reg. Ep.*, 1, 24 (*MGH*, t. I, p. 28-37) ; 2, 49 (t. I, p. 150-151) ; 6, 62 (t. I, p. 437-438) ; 7, 31 (t. I, p. 478-481) ; 11, 27 (t. II, p. 289-297).

les circonstances qui ont entouré la condamnation d'Origène[46] ; c'est sans doute la raison pour laquelle il s'est refusé à trancher la controverse et n'a pas hésité à utiliser largement ses écrits. Il a dû le faire avec précaution toutefois pour ne pas attiser encore davantage les querelles en cours.

Par-delà ces hypothèses, une chose reste certaine : en utilisant les écrits d'Origène au lieu d'intervenir officiellement pour entériner sa condamnation, Grégoire a laissé à la disposition du Moyen Age latin un patrimoine considérable dont il eût été désastreux de le priver.

---

46. Sur cette question, nous adoptons sans réserve la conclusion de G. FRITZ qui veut que la condamnation d'Origène ait été le fait d'un acte extra-conciliaire. Cf. *DTC*, t. 11 B, 1565-1588.

III

APERÇU SUR LE TEXTE

1. L'exégèse grégorienne[1]

La Parole divine consignée dans les textes sacrés s'offre toujours à l'homme sous la double dimension de la lettre et de l'esprit[2]. L'antinomie paulinienne[3], évoquée par Grégoire, devient la clef de son interprétation du *Cantique*. « La lettre tue », car elle tend à enfermer l'homme dans les catégories d'un monde que le péché originel a profondément avili en le détournant de Dieu ; elle n'est autre chose que le symbole proféré de l'extériorité[4] dans laquelle la faute a entraîné la descendance d'Adam.

Mais l'Écriture est aussi cet « esprit » vivifiant, recouvert de l'écorce de la lettre à la façon du froment dissimulé sous l'enveloppe de la paille[5]. A l'homme *foras missus*[6], Dieu propose le *liber intus et foris scriptus*[7] comme voie initiale du

---

1. Ce sujet de l'exégèse grégorienne dans le commentaire sur le *Cantique* a fait l'objet d'une étude approfondie de la part de V. RECCHIA dans : *L'esegesi di Gregorio Magno al Cantico dei Cantici*, Turin 1967.

2. *In Cant.*, 4.

3. *II Cor.* 3, 6.

4. Dans son magistral ouvrage, *Saint Grégoire le Grand. Culture et expérience chrétiennes,* Paris 1977, C. DAGENS montre jusqu'à quel point les notions antithétiques d'intériorité et d'extériorité sont fondamentales dans la structure de l'œuvre grégorienne. Sa thèse trouve une application particulièrement éclairante sur ce point quand il étudie la spiritualité de Grégoire. Cf. p. 167-204.

5. *In Cant.*, 4.

6. *Mor.*, 8, 34 (*CCL* 143, p. 406).

7. *Hom. in Ez.*, 1, 9, 30 (*CCL* 142, p. 139).

retour à sa connaissance et à son amour. Mais c'est uniquement dans le mouvement de la lettre vers l'esprit que le fidèle amorcera son itinéraire de l'extériorité dans laquelle il est dispersé vers l'intériorité qui lui rendra son unité originelle avec Dieu.

La réflexion de Grégoire sur le *Cantique* devient ici particulièrement éclairante. Voilà le livre biblique qui met en lumière dans ses contrastes les plus vifs la double dimension lettre et esprit de l'Écriture. La lettre, avec ses reliefs sensibles et charnels, y résonne dans un langage qui surprend l'homme au pôle le plus lointain de son extériorité. Par un effet merveilleux de sa miséricorde, Dieu consent en effet à s'abaisser jusqu'au « langage de notre amour grossier » pour nous entraîner comme à notre insu de « l'amour d'ici-bas à l'amour d'en-haut[8] ».

On comprendra, dès lors, avec Grégoire, pourquoi le *Cantique* doit être lu et interprété comme une riche « allégorie » qui appelle l'homme bien au-delà du vocabulaire qui le compose[9]. La lecture fructueuse de ce poème biblique est liée directement au degré d'intériorisation de la lettre, à un effort prononcé d'intelligence spirituelle. Grégoire souligne bien, à la lumière de plusieurs citations bibliques étayées de recommandations morales et mystiques[10], « la nécessité de la spiritualisation très poussée de ceux qui veulent aborder sans faux pas la lecture du *Cantique*[11] ».

L'allégorie, au sens que Grégoire lui prête ici[12], joue en

---

8. *In Cant.*, 3.

9. *In Cant.*, 2-4.

10. *In Cant.*, 4-5.

11. V. RECCHIA, *loc. cit.*, p. 14 : « ... per sottolineare, quindi, la necessità della spiritualizzazione massima di coloro che vogliono affrontare *inoffenso pede* la lettura del Cantico ».

12. Le mot « allégorie » ne retrouve pas dans le contexte présent l'extension que lui confère habituellement le procédé exégétique de l'intelligence spirituelle : le terme s'y trouve plutôt réduit à la réalité du symbole verbal.

définitive un rôle purement instrumental et transitoire. La règle d'or consiste précisément à faire éclater sans retard l'enveloppe extérieure du *mot*[13] pour le vider de son sens littéral, propre et humain, et l'investir d'un sens nouveau, figuré et divin. Tel est le procédé exégétique que Grégoire adopte tout au long du commentaire et qui lui permet de maintenir sa réflexion à bonne distance du vocabulaire érotique du *Cantique* et de faire passer ses auditeurs de « l'apparence extérieure des mots à l'intelligence intérieure[14] ». Ainsi, ce ne sont plus les sens qui sont interpellés, mais « le pur regard du cœur » qui seul ouvre l'accès aux mystères les plus profonds de Dieu[15]. Le *Cantique* s'offre alors comme le poème de la tendresse de Dieu à l'égard de l'homme, la *fable* amoureuse qui éveille l'intelligence humaine à l'intelligence spirituelle pour lui murmurer l'*ineffable* langage de la contemplation.

C'est dans cette perspective que chaque verset du texte biblique est lu, relu, scruté par Grégoire : une fois les mots « exorcisés », « traduits » dans leur sens spirituel, il en fait d'abord goûter toute la saveur dans l'expression de l'amour mutuel du Christ-Époux et de l'Église-Épouse, il en applique ensuite le sens aux exigences de la vie morale, il en prolonge enfin l'intelligence au profit de la vie contemplative[16].

à ce genre d'allégorie que les Pères appelaient l'*allegoria dicti* : cf. H. DE LUBAC, *Exégèse médiévale*, 2e partie, t. II, p. 125-181 ; en ce sens, l'allégorie équivaut pleinement aussi au *uerbum translatum* ou à la *figurata locutio* qui définissait, dans la pensée d'Augustin, l'*allegoria in uerbis* (cf. *De Doct. christ.*, 3, 11, 17 : *CCL* 32, p. 88).

13. V. RECCHIA a déjà fait remarquer avant nous l'importance que prend pour Grégoire le mot pris en lui-même et le mot reçu comme symbole : cf. *loc. cit.*, p. 51.

14. *In Cant.*, 2.

15. *In Cant.*, 9.

16. Ce mouvement en trois temps n'est pas toujours repris avec rigueur par Grégoire dans l'exégèse de chaque verset. On le retrouve particulière-

APERÇU SUR LE TEXTE

Quand on examine, enfin, les autres versets du *Cantique* que Grégoire a commentés au passage dans d'autres œuvres[17], on retrouve sensiblement la même ligne d'interprétation. Qu'il suffise de retenir le seul texte de *Cant.* 3, 1-4 sur lequel Grégoire revient à cinq reprises dans son œuvre[18]. Domine ici comme dans notre commentaire le thème de la quête ardente de l'Église-Épouse pour le Christ-Époux ; celui-ci se cache pour accroître le désir de l'Épouse (*Mor.*, 5, 6 ; 27, 4) qui ne rencontre d'abord sur son chemin que les sentinelles de la ville, que Grégoire assimile aux patriarches, aux prophètes et aux apôtres (*Mor.*, 18, 80 ; 27, 4) ; l'Épouse, c'est aussi l'âme individuelle qui recherche les traces de l'Époux sur les chemins de la vertu (*In Ev.*, 25, 2) et qui ne verra son désir exaucé que dans une rencontre où l'humain aura fait place au divin (*Mor.* 27, 4 ; *In Ev.*, 25, 2).

2. Aperçu doctrinal

Le contenu du commentaire se présente comme un abrégé de la doctrine grégorienne. Sans perdre de vue le fait que l'exposé, introduit par un long prologue, se réduit pour nous à l'interprétation des huit premiers versets du *Cantique*, on ne peut que remarquer la variété et la richesse des thèmes que Grégoire aborde dans ce court texte. Il importe donc, en lisant le commentaire, de garder à l'esprit certains passages des autres ouvrages de Grégoire pour comprendre la densité qu'il a voulu donner ici à sa réflexion et en mieux saisir toute la portée.

---

ment bien déployé dans la lecture des deux premiers versets. Par la suite, les trois sens, ecclésiologique, moral et mystique, sont habituellement dégagés mais d'une façon moins ordonnée.

17. Paterius en a relevé 35 dans son recueil : *PL* 79, 905-916.

18. *In Ev.*, 25, 2 (*PL* 76, 1190-1191) ; *Hom. in Ez.*, II, 7, 11 (*CCL* 142, p. 325) ; *Mor.*, 5, 6 (*CCL* 143, p. 222-228) ; *Mor.*, 18, 80 (*CCL* 143 A, p. 943-944) ; *Mor.*, 27, 3-4 (*PL* 76, 400-401).

A. Anthropologie grégorienne et Parole de Dieu

Dès les premières lignes du prologue, Grégoire s'emploie à décrire synthétiquement les conditions du dialogue entre l'homme et Dieu. Depuis le péché d'origine, la vie présente s'ouvre au genre humain comme un douloureux chemin d'exil. Privé des biens du paradis, aveuglé dans son cœur même par l'habitude de l'infidélité, l'homme s'est à ce point alourdi dans le charnel qu'il s'est fermé aux accents du langage divin et à l'intelligence spirituelle[19].

En passant de l'intériorité du monde divin à l'extériorité du monde sensible auquel il s'est assujetti, il a été atteint et diminué jusque dans son processus de connaissance : il ne peut désormais saisir que les images empruntées à la réalité sensible. Aussi, est-ce sur ce terrain même que la Parole divine vient le rejoindre et prendre forme à travers les catégories et les images du langage humain. L'allégorie devient en quelque sorte l'instrument premier de cette initiative pédagogique de Dieu : elle s'offre comme une descente du Verbe divin dans les mots humains pour faire passer l'homme du connu à l'inconnu, de l'ignorance à la connaissance et à la contemplation des biens divins[20].

Pédagogie tout à la fois miséricordieuse et merveilleuse, qui s'exprime avec une audace inattendue dans le livre du *Cantique* : Dieu n'hésite pas en effet à s'y abaisser jusqu'au langage « grossier » de notre amour charnel pour nous tirer de notre torpeur et nous apprendre ensuite les élans de l'amour spirituel[21].

Mais ici, plus qu'en tout autre livre de l'Écriture, se posent impérativement les exigences d'une juste compréhension de l'allégorie et de l'intelligence spirituelle. Quiconque entend

---

19. Cf. *In Cant.*, 1.
20. Cf. *In Cant.*, 1-2.
21. Cf. *In Cant.*, 3.

renouer le dialogue intérieur avec Dieu devra savoir dépasser les résonances humaines et charnelles de la lettre, il devra « préfigurer sa propre résurrection », « avoir revêtu la robe nuptiale », autrement dit, avoir déraciné sans ménagement tout ce qu'il a de « passible dans le cœur » et s'être élevé à la dignité royale de ceux qui sont parfaitement maîtres de leurs sensations[22]. La lecture du *Cantique* n'apportera, en définitive, profit et salut qu'à celui qui saura porter sur l'allégorie ou l'image biblique ce « pur regard du cœur[23] », qui la saisit synthétiquement et dans ses reliefs sensibles et dans son contenu spirituel.

C'est dans cette perspective que Grégoire présente le *Cantique des cantiques* comme le livre biblique qui conduit le fidèle au degré le plus élevé de la contemplation. Il est le poème dont le « secret ne se laisse pénétrer que par l'intelligence des significations cachées[24] », le cantique d'union à Dieu qui surpasse tous les autres chants de la Bible[25], le livre saint qui met fin, dans le rapport Dieu-homme, à la dialectique Maître-serviteur, voire Père-fils, pour inaugurer la relation, combien plus intime et d'autant inespérée, Époux-Épouse[26]. Enfin, le *Cantique* est le livre qui vient parachever et couronner l'œuvre de Salomon, après les *Proverbes* et l'*Ecclésiaste*. Dans le *Cantique* en effet, par-delà la vie morale et la vie naturelle, « c'est la vie contemplative qui est présentée du fait qu'on y désire l'avènement et la vision du Seigneur en personne[27]... ».

---

22. Cf. *In Cant.*, 4.

23. *In Cant.*, 9.

24. Cf. *In Cant.*, 6.

25. Cf. *In Cant.*, 7.

26. Cf. *In Cant.*, 8.

27. *In Cant.*, 9. Notons au passage que pour Grégoire, la lecture ou l'écoute de la Parole divine est toujours ordonnée aux besoins de la vie spirituelle pour ouvrir finalement l'accès aux bienfaits de la contemplation.

B. L'Alliance de l'Époux et de l'Épouse

Pour Grégoire, le *Cantique des cantiques* est avant tout le chant spirituel qui célèbre les « saintes épousailles de l'Époux et de l'Épouse[28] » dont les figures resplendissent avec tout leur éclat dans le Christ et dans l'Église : « L'Épouse, en effet, c'est l'Église elle-même dans sa perfection ; l'Époux, c'est le Seigneur[29] ». Comme sous l'Ancienne Alliance le *Cantique* a chanté l'amour de Yahvé pour l'Israël-Épouse[30], de la même façon il exalte maintenant l'amour que Dieu porte dans le Christ à l'Église-Épouse.

a. L'Église-Épouse

Depuis l'aube du monde, l'histoire de la race humaine est comparable à l'histoire d'une jeune Fiancée qui grandit dans l'attente de son Époux-Sauveur. Pour lui former un cœur d'Épouse, « vers elle le Seigneur avait envoyé les anges, vers

---

On lira avec profit sur ce sujet l'article bref, mais lumineux en tous points, de B. DE VREGILLE concernant le lien entre l'Écriture et la vie spirituelle dans l'œuvre grégorienne : « Écriture sainte et vie spirituelle chez saint Grégoire le Grand », dans *DS*, t. IV, 169-176. Voir aussi C. DAGENS, *loc. cit.*, p. 55-62.

28. *In Cant.*, 4.

29. *In Cant.*, 10. Que ce soit à travers l'exégèse du *Cantique* depuis Hippolyte de Rome ou à travers l'interprétation du Psaume 44 (45) depuis Justin, l'image de l'Église comme Épouse du Christ a connu une faveur considérable dans les élaborations ecclésiologiques antérieures à Grégoire. Retenons, dans un panorama très vaste, quelques études majeures : G. BARDY, *La Théologie de l'Église de saint Irénée au concile de Nicée* Paris 1947 ; J. CHÊNEVERT, *L'Église dans le Commentaire d'Origène sur le Cantique des cantiques,* Coll. *Studia* n° 24, Bruxelles-Paris-Montréal, DDB-Bellarmin, 1969 ; L. ROBITAILLE, « L'Église, Épouse du Christ, dans l'interprétation patristique du Psaume 44 (45) », dans *LTP* 26 (1970), p. 167-180 ; 27 (1971), p. 41-65 ; R. DESJARDINS, « Le Christ ʻ sponsus ʼ et l'Église ʻ sponsa ʼ chez saint Augustin », dans *BLE* 62 (1966), p. 241-256.

30. Cf. *In Cant.*, 8. Cette interprétation est implicite dans le texte de Grégoire à partir des citations d'*Os.* 2, 19-20 et de *Jér.* 2, 2.

elle les patriarches et les prophètes, porteurs de dons spirituels[31] ». Avant la venue de l'Époux, l'Église a donc bénéficié d'une longue période de préparation, ponctuée des gages et des prémices que lui prodiguaient ces fidèles serviteurs du Bien-Aimé ; à la façon de guides et de pédagogues, ils l'ont accompagnée sur la route de sa croissance au temps où elle se nourrissait encore du « pain du désir »[32] ».

Siècle après siècle, son désir de l'Époux s'est accru jusqu'au moment où il éclate dans cette supplique saisissante : *Qu'il me baise des baisers de sa bouche*[33]. Ce langage ardent écarte le voile du temps et l'Épouse reconnaît soudain le Bien-Aimé à ses côtés[34] : elle s'abandonne alors à son désir si longuement contenu et à l'envoûtement qui la saisit dans un éloge enthousiaste à l'endroit de l'Époux : *...tes seins sont meilleurs que le vin et l'odeur de tes parfums d'onction surpasse tous les aromates. Ton nom est un parfum d'onction répandu...*[35]

L'exaltation des charmes de l'Époux par l'Épouse est mise à profit par Grégoire dans un sens proprement christologique. Il s'applique à démontrer, par le jeu des comparaisons suggéré dans le texte biblique, l'éminente supériorité du Christ-Époux sur les présents et les gages dispensés à l'Épouse dans l'Ancien Testament à travers « la science de la loi et la science des prophètes[36] ». Les baisers que l'Épouse échange maintenant avec lui la comblent des biens ineffables de la connaissance divine, devant laquelle toute science ou toute sagesse humaine n'est que vanité[37].

---

31. *In Cant.*, 12.
32. *In I Reg.*, 1, 100 (*CCL* 144, p. 114).
33. *Cant.*, 1, 2.
34. Cf. *In Cant.*, 13.
35. *Cant.*, 1, 1-3.
36. Cf. *In Cant.*, 13-14.
37. Cf. *In Cant.*, 16-17.

Mais en raison de l'honneur insigne que l'Époux lui a fait en l'introduisant dans sa chambre[38], l'Épouse doit répondre de sa grâce et de ses mérites devant « les filles de Jérusalem » : *Je suis noire et belle, filles de Jérusalem...*[39]. Ce plaidoyer de l'Épouse suggère à Grégoire une réflexion sobre mais significative sur le problème de la conversion des Juifs et des Gentils[40]. La venue de l'Époux a eu comme premier résultat de créer une division profonde au sein du peuple élu : il y a eu, d'une part, les Juifs qui ont cru à « la grâce de notre Rédempteur[41] » et d'autre part, ceux qui s'en sont détournés. Les premiers, qui représentent l'Épouse, se sont trouvés en butte aux accusations et aux railleries des autres. L'Épouse, accusée à tort, en appelle à sa fière beauté, elle qui s'est magnifiquement parée dans les atours de la conversion pour se mériter les hommages du véritable Salomon, le Christ-Époux[42].

Le rejet de l'Épouse par « les filles de Jérusalem » l'a finalement amenée à aller faire retentir l'appel de la foi dans le monde païen[43]. L'Église des Gentils devient ainsi une « nouvelle Épouse[44] » qui s'offre au Christ et qui prend à son compte les paroles de l'Épouse : *Je suis noire, mais belle, filles de Jérusalem*[45]. Le jeu du dialogue se modifie par la suite du fait que « les filles de Jérusalem » représentent cette

---

38. Cf. *In Cant.*, 26-31.

39. *Cant.* 1, 4.

40. A la différence d'Origène, Grégoire applique le paradoxe apparent du *nigra et formosa* aussi bien à l'Église issue de la communauté juive qu'à celle des Gentils venus à la foi chrétienne. La question des Juifs convertis ne retient pas directement l'attention d'Origène. Cf. J. CHÊNE-VERT, *loc. cit.*, p. 127.

41. *In Cant.*, 32.

42. *In Cant.*, 32-34.

43. *In Cant.*, 35.

44. Grégoire lui attribue ce titre : *In I Reg.* I, 42 (*CCL* 144, p. 77).

45. *In Cant.*, 36.

fois la communauté des Juifs croyants dont certains « s'indignaient à l'idée que des païens viennent à la foi[46] ». Grégoire
prend la défense de cette Épouse « étrangère » en lui prêtant
les propos d'une foi humble et reconnaissante, enracinée dans
les grâces de la conversion et dans la pratique de la
pénitence[47].

Il faut savoir enfin que cette Église-Épouse n'est pas expo-
sée au seul préjudice des reproches qu'on lui adresse sur son
apparence extérieure : il y a en son sein même le danger bien
plus grave des faux compagnons qui menacent continuellement de l'égarer. Ce sont ces maîtres hérétiques et ces
mauvais pasteurs qui, dans l'enseignement d'une doctrine
pernicieuse ou par la séduction d'une vertu feinte, peuvent
l'entraîner à son insu hors des pâturages de la foi[48]. Grégoire
exprime dans cette mise en garde un souci pastoral bien
légitime, lui qui doit répondre comme pasteur suprême de
l'intégrité doctrinale et morale de l'Épouse devant l'Époux.

Église qui naît aux origines du monde, Église issue de la
communauté juive, Église venue du monde païen, Église à la
fois sainte et pécheresse, voilà pour Grégoire le visage de
l'Épouse unique du Christ qui poursuit sa croissance en
beauté sur la terre, soulevée siècle après siècle par le même
désir de sa rencontre définitive avec l'Époux dans le monde
céleste.

b. L'âme-Épouse

La relation du Christ-Époux et de l'Église-Épouse n'épuise
pas à elle seule toute la richesse symbolique du *Cantique
des cantiques*. Comme Grégoire s'applique à le montrer, cette
relation fondamentale trouve son expression achevée dans la
relation mystique qui unit l'âme individuelle au Christ-

---

46. *In Cant.*, 37.
47. *In Cant.*, 36-37.
48. *In Cant.*, 42-43.

Époux. Il faut en effet lire le *Cantique* comme une parabole qui suggère à l'âme les réalités mystérieuses de la vie contemplative : « ... dans les *Cantiques des cantiques*, c'est la vie contemplative qui est présentée du fait qu'on y désire l'avènement et la vision du Seigneur en personne[49] ».

Le chrétien se voit donc enveloppé dans l'atmosphère bienfaisante des épousailles du Christ et de l'Église et il est lui-même invité à s'associer à la joie de l'Épouse, dans la mesure où l'Époux daigne s'unir à lui individuellement. En ce cas, le nom et les privilèges de l'Épouse sont mis au compte de l'âme individuelle : « Dans cet ouvrage donc, la voix de l'Église dans son ensemble (*generaliter*) attend l'avènement du Seigneur de telle sorte que chaque âme en particulier (*specialiter*) envisage également l'entrée de Dieu en son cœur comme l'accès de l'Époux au lit conjugal[50]. »

Certes, l'Église incorpore tous ses membres dans la relation qu'elle entretient avec le Christ ; mais ceux-ci ne vibrent pas tous aussi intensément à la joie de son union avec l'Époux. Pour cette raison, sans doute, le scénario du *Cantique* met en scène deux personnages principaux entourés de deux catégories de figurants : les jeunes filles qui accompagnent l'Épouse et les groupes de compagnons qui escortent l'Époux[51].

Grégoire revient plus loin sur ces catégories de fidèles : les jeunes filles désignent alors « les âmes des élus renouvelées par le Baptême[52] » ou encore les âmes considérées comme

---

49. *In Cant.*, 9.

50. *In Cant.*, 9. A deux autres endroits de son commentaire, Grégoire marque par l'opposition *generaliter-specialiter* le double sens du terme *sponsa* (§ 15 et 39). Il faut reconnaître avec R. GILLET qu'il existe dans le commentaire « un certain flottement dans la pensée entre la *sponsa*-Église et la *sponsa*-âme individuelle, par transition insensible ou simple juxtaposition... », cf. art. « Grégoire le Grand » dans *DS*, t. VI, 897.

51. Cf. *In Cant.*, 10.

52. *In Cant.*, 22.

« malades[53] » ; les compagnons, de leur côté, se laisseront reconnaître sous les traits des « amis » et des « familiers » de Dieu « qui vivent dans le bien », sans feindre ni dans l'enseignement de la doctrine comme les docteurs hérétiques, ni dans la pratique de la vertu comme certains maîtres catholiques[54].

En plusieurs endroits du commentaire, Grégoire s'emploie à montrer que ce n'est pas sans peine que le fidèle peut parvenir à l'acte parfait de la contemplation et mériter ainsi pour lui-même le titre d'Épouse, réservé à celui qui aime déjà Dieu à la perfection[55]. Il faut, avant toutes choses, avoir satisfait aux exigences de la vie morale et de la vie naturelle[56] ; il faut avoir parcouru le long chemin qui va, en présence de Dieu, de la crainte au respect et du respect à l'amour[57] ; il faut avoir chanté tous les cantiques spirituels qui ponctuent les efforts de l'ascension mystique[58] ; il faut, enfin, avoir fait la preuve de son mérite dans le rôle des jeunes filles et des compagnons qui font chorus en présence de l'Époux et de l'Épouse pour « apprendre dans leurs propos l'ardeur de l'amour[59] ».

C'est dire que l'âme individuelle ne peut partager l'intimité bienfaisante de l'Époux qu'au terme d'une longue préparation morale et spirituelle. En cela, sa démarche ne diffère pas de celle qu'a connue la Fiancée de l'Ancienne Alliance dans sa recherche du Bien-Aimé. Réconfortée sur sa route par une multitude de dons et de consolations[60], l'âme fidèle devra

---

53. *In Cant.*, 23.
54. Cf. *In Cant.*, 42-43.
55. *In Cant.*, 10.
56. Cf. *In Cant.*, 9.
57. Cf. *In Cant.*, 8.
58. Cf. *In Cant.*, 7.
59. *In Cant.*, 10.
60. Parmi ces dons, le plus important est sans doute celui de la

par-dessus tout se « connaître elle-même[61] », assurer avec vigilance sa garde intérieure[62], se mettre aussi avec discernement à l'écoute des maîtres et des pasteurs pour découvrir la Parole de Dieu avec eux et pour apprendre dans leur enseignement les lois exigeantes de la conversion et du progrès spirituel[63].

Ce n'est qu'à ce prix que l'âme-Épouse parviendra à passer de l'extériorité du monde sensible où le péché la retient à l'intériorité de la vie contemplative où l'Époux la comblera « du toucher de sa grâce intérieure[64] ».

---

componction d'amour qui stimule continuellement le désir de ses « traits poignants » sans jamais l'assouvir. Cf. *In Cant.*, 18.

61. Cf. *In Cant.*, 44.
62. Cf. *In Cant.*, 40.
63. Cf. *In Cant.*, 42-43.
64. *In Cant.*, 15.

Notes sur le texte et sur la traduction

1. Le texte latin du Cantique dans le commentaire

Tout au long de son exposé, Grégoire s'en tient assez fidèlement au texte de la Vulgate[1]. C'est ce qui apparaît avec évidence dans sa lecture des versets 4 à 8, où seulement quelques variantes minimes de l'ordre de celles que présentent les manuscrits de la Vulgate se laissent remarquer[2]. Par ailleurs, Grégoire a sous les yeux les commentaires d'Origène traduits par Jérôme et par Rufin : dans certains développements où il s'attache plus directement à suivre Origène, il ne craint pas d'adopter le texte des versets qu'il lit chez celui-ci. C'est ainsi qu'on peut expliquer la forme plurielle *osculis* alternant avec *osculo* au premier verset et surtout la variante *et odor unguentorum tuorum super omnia aromata* du deuxième verset, qui entraîne la forme *unguentum,* au lieu d'*oleum* ; également *in cubiculum suum*, préféré à *in cellaria sua*.

2. Le texte du commentaire et la traduction

Le texte latin reproduit en regard de notre traduction est substantiellement celui que Dom P. Verbraken a établi pour le *Corpus Christianorum, Series Latina*, au tome CXLIV, après avoir inventorié, décrit et classé les manuscrits. Nous renvoyons le lecteur à l'introduction du *Corpus Christianorum* (p. VII-XI) et à deux articles

---

1. Cf. R. WEBER, *Biblica sacra iuxta Vulgatam versionem*, Stuttgart 1969, p. 997-1002.

2. Par exemple : il écrit *post te curremus « in odorem unguentorum tuorum »* avec plusieurs manuscrits de la Vulgate ; il lit tantôt *nigra sum « et » formosa*, tantôt *nigra sum « sed » formosa* ; même alternance dans *ubi pascis (pascas), ubi cubas (cubes)*. Chez Origène *et* est préféré à *sed*, et *pascis/cubes* à *pascas/cubas*.

complémentaires de P. Verbraken[3]. Nous avons introduit dans le texte établi par P. Verbraken une dizaine de variantes proposées par P. Meyvaert[4] et J.H. Waszink[5]. Nous avons chaque fois signalé et justifié en note l'adoption de ces variantes.

Dans le travail de la traduction, nous nous sommes efforcé, autant que possible, de respecter « l'esprit » de la prescription de Grégoire à l'un de ses correspondants qui projetait de traduire certaines de ses lettres du latin au grec : *Non uerbum ex uerbo, sed sensum ex senso transferte*[6].

Nous avons déjà fait remarquer que le commentaire de Grégoire a gardé, et dans sa structure et dans son style, les traits du langage parlé, de l'exposé pris en notes *sub oculis* : les phrases sont souvent syncopées, peu équilibrées, les formules parfois redondantes. Le paragraphe 37 est typique en ce sens et il peut, à lui seul, donner une juste idée de certaines difficultés rencontrées en cours de traduction.

De plus, nous avons dû souvent sacrifier l'élégance à la précision, notamment pour reprendre aussi clairement que nous le pouvions les mots du lemme biblique sur lesquels repose pour ainsi dire la charpente du commentaire et pour rendre compte des appositions fort subtiles de préfixes verbaux qui commandent toute la dynamique de certaines exégèses[7].

Enfin, le *traductor* sait d'expérience que sa tâche risque d'être parfois celle d'un *traditor*... Sans chercher une caution à nos maladresses possibles, nous tenons à remercier ici M. Jean-Pierre Mahé et le P. Bernard de Vregille dont les conseils amicaux sont venus seconder si utilement nos efforts.

---

3. « La tradition manuscrite du Commentaire de saint Grégoire le Grand sur le Cantique des Cantiques », dans *Rev. Bén.* 73 (1963), p. 277-288 ; « Un nouveau manuscrit du commentaire de S. Grégoire sur le Cantique des Cantiques », dans *Rev. Bén.* 75 (1965), p. 143-145.

4. « A new Edition of Gregory the Great's Commentaries on the Canticle and I Kings », dans *JTS* 19 (1968), p. 215-225.

5. « Sancti Gregorii Magni Expositiones in Canticum Canticorum et in Librum Primum Regum », dans *Vig. Christ.* 27 (1973), p. 72-74.

6. *MGH*, Epist., 1, 28 (t. I, p. 41).

7. Par exemple *inebriare* et *debriare* au § 30.

INDICATIONS BIBLIOGRAPHIQUES

Nous devons signaler l'existence de deux bibliographies très complètes sur la vie et l'œuvre de Grégoire le Grand : R. GILLET, article « Grégoire le Grand », dans *DS*, t. VI, 1967, 905-910 ; C. DAGENS, *Saint Grégoire le Grand. Culture et expérience chrétiennes,* Paris, *Études augustiniennes,* 1977, p. 464-470.

Nous ne mentionnons donc ici que les études qui concernent directement le *Commentaire sur le Cantique des cantiques.*

B. CAPELLE, « Les homélies de S. Grégoire sur le Cantique », dans *Rev. Bén.* 41 (1929), p. 204-217.

P. MEYVAERT, « A new Edition of Gregory the Great's Commentaries on the Canticle and I Kings », dans *JTS* 19 (1968), p. 215-225. « The Date of Gregory the Great's Commentaries on the Canticle of Canticles and on I Kings », dans *Sacris Erudiri* 23 (1978-1979), p. 191-216.

V. RECCHIA, *L'esegesi di Gregorio Magno al Cantico dei Cantici,* Turin 1967.

A. VACCARI, « De scriptis S. Gregorii Magni in Canticum canticorum », dans *VD* 9 (1929), p. 304-307.

P. VERBRAKEN, « La tradition manuscrite du commentaire de saint Grégoire sur le Cantique des cantiques », dans *Rev. Bén.* 73 (1963), p. 277-288. « Un nouveau manuscrit du commentaire de S. Grégoire sur le Cantique des cantiques », dans *Rev. Bén.* 75 (1965), p. 143-145.

A. DE VOGÜÉ, « Les vues de Grégoire le Grand sur la vie religieuse dans son commentaire des Rois », dans *SM* 20 (1978), p. 17-63.

J.H. WASZINK, « Sancti Gregorii Magni Expositiones in Canticum Canticorum et in Librum Primum Regum », dans *Vig. Christ.* 27 (1973), p. 72-74.

Sigles et Abréviations

BLE	*Bulletin de Littérature Ecclésiastique*
CCL	*Corpus Christianorum, Series Latina*
CCM	*Corpus Christianorum, Continuatio Mediaevalis*
DS	*Dictionnaire de Spiritualité ascétique et mystique*
DTC	*Dictionnaire de Théologie Catholique*
GCS	*Die Griechischen Christlichen Schriftsteller*
JTS	*Journal of Theological Studies*
LTP	*Laval Théologique et Philosophique*
MGH	*Monumenta Germaniae Historica*
PG	*Patrologie Grecque*
PL	*Patrologie Latine*
PLS	*Patrologie Latine Supplément*
Rev. Bén.	*Revue Bénédictine*
RE Aug	*Revue des Études Augustiniennes*
Rev. SR.	*Revue des Sciences Religieuses*
SC	*Sources Chrétiennes*
SM	*Studia Monastica*
TLL	*Thesaurus Linguae Latinae*
VD	*Verbum Domini*
Vig. Christ.	*Vigiliae Christianae*

TEXTE ET TRADUCTION

IN NOMINE DOMINI INCIPIT
EXPOSITIO IN CANTICIS CANTICORVM
A CAPITE DE EXCEDA RELEVATA
DOMNI GREGORII PAPAE VRBIS ROMAE

1. Postquam a paradisi gaudiis expulsum est genus humanum, in istam peregrinationem uitae praesentis ueniens caecum cor ab spiritali intellectu habet. Cui caeco cordi si diceretur uoce diuina : « Sequere deum » uel « Dilige deum », 5 sicut ei in lege dictum est, semel foris missum et per torporem insensibilitatis frigidum non caperet quod audiret. Idcirco per quaedam enigmata sermo diuinus animae torpenti et frigidae loquitur et de rebus, quas nouit, latenter insinuat ei amorem, quem non nouit.

2. Allegoria enim animae longe a deo positae quasi quandam machinam facit, ut per illam leuetur ad deum.

---

1. On aura remarqué que Grégoire intitule le livre biblique au pluriel, *Cantica canticorum*. Ce titre est justifié par l'exégèse qu'il en donne au § 6 du commentaire : *Sicut enim in ueteri testamento alia sunt sancta et alia sancta sanctorum, alia sabbata et alia sabbata sabbatorum, ita in scriptura sacra alia sunt cantica et alia Cantica canticorum...* Ici, comme en *Hom. in Ev.*, 2, 6 (*PL* 76, 1177 B), Grégoire emprunte probablement cette forme à Origène (*Hom. in Cant.*, 1, 1 : *GCS* 8, p. 27).

2. L'expression *a capite de exceda releuata* a été éclaircie par Dom B. Capelle dans son article : « Les homélies de Saint Grégoire sur le Cantique », dans *Rev. Bén.* 41 (1929), p. 214-216. Il est vrai que le terme *exceda* ne peut être qu'une corruption de *scheda*, désignant les notes que Claude a prises à l'audition de Grégoire. On peut penser qu'ultérieurement les copistes ont rattaché ce mot, qu'ils ne comprenaient pas, à la racine du verbe *excidere* de façon à pouvoir l'opposer au participe *releuata* figurant dans la suite du titre.

3. Pour Grégoire, le terme *peregrinatio* est ici opposé au terme *patria* (le ciel, le paradis). Cf. Blaise, *Dictionnaire latin-français des auteurs chrétiens*, s.v.

AU NOM DU SEIGNEUR, ICI COMMENCE
LE COMMENTAIRE SUR LES *CANTIQUES*[1] *DES CANTIQUES*,
RELEVÉ DEPUIS LE DÉBUT SUR DES NOTES[2]
DU SEIGNEUR GRÉGOIRE, PAPE DE LA VILLE DE ROME.

1. Depuis que le genre humain a été expulsé des joies du paradis, entrant dans l'exil[3] de la vie présente, il a le cœur aveugle à l'égard de l'intelligence spirituelle. Si la voix divine disait à ce cœur aveugle : « Marche à la suite de Dieu » ou « Aime Dieu », comme on le lui a dit dans la Loi, désormais exilé, refroidi et engourdi dans l'insensibilité[4], il ne saisirait pas ce qu'il entendrait. Aussi, est-ce par énigmes que le discours divin s'adresse à l'âme engourdie par le froid et que, à partir des réalités qu'elle connaît, il lui inspire secrètement un amour qu'elle ne connaît pas.

2. L'allégorie offre en effet à l'âme éloignée de Dieu comme une machine[5] qui la fait s'élever vers Dieu. Par le

---

4. Nous adoptons la « lectio difficilior » proposée par P. MEYVAERT dans « A new edition of Gregory the Great's commentaries on the Canticle and I Kings », p. 217. Le mot *insensibilitas*, attesté par certains manuscrits, convient mieux au contexte et à la pensée grégorienne que le terme *infidelitas*.

5. Le terme *machina* a connu de multiples usages dans la littérature latine. On le trouve employé au sens strict dans le domaine du génie militaire comme dans le domaine du génie civil ; à partir de là, il a connu de nombreux sens figurés. Cf. *TLL*, 8, col. 11-14. Grégoire l'utilise fréquemment. Ici, c'est l'allégorie qui est la « machine » qui élève vers Dieu, ailleurs, c'est la componction : *Mor.*, I, 48 (*CCL* 143, p. 50) ; ailleurs encore, c'est la force de l'amour : *Mor.*, 6, 58 (*CCL* 143, p. 329). On trouve l'équivalent grec de *machina* « mèchanè » dans IGNACE D'ANTIOCHE pour désigner la croix du Christ : *Aux Éphésiens*, 9, 1 (*SC* 10⁴, p. 64).

Interpositis quippe enigmatibus, dum quiddam in uerbis
cognoscit, quod suum est, in sensu uerborum intellegit, quod
5 non est suum, et per terrena uerba separatur a terra. Per hoc
enim, quod non abhorret cognitum, intellegit quiddam inco-
gnitum. Rebus enim nobis notis, per quas allegoriae confi-
ciuntur, sententiae diuinae uestiuntur et, dum recognoscimus
exteriora uerba, peruenimus ad interiorem intellegentiam.

3. Hinc est enim, quod in hoc libro, qui in Canticis canticorum conscriptus est, amoris quasi corporei uerba ponuntur : ut a torpore suo anima per sermones suae consuetudinis
refricata recalescat et per uerba amoris, qui infra est, excite-
5 tur ad amorem, qui supra est. Nominantur enim in hoc libro
oscula, nominantur ubera, nominantur genae, nominantur
femora ; in quibus uerbis non irridenda est sacra descriptio,
sed maior dei misericordia consideranda est : quia, dum
membra corporis nominat et sic ad amorem uocat, notan-
10 dum est quam mirabiliter nobiscum et misericorditer ope-
ratur, qui, ut cor nostrum ad instigationem sacri amoris
accenderet, usque ad turpis amoris nostri uerba distendit.
Sed, unde se loquendo humiliat, inde nos intellectu exaltat :
quia ex sermonibus huius amoris discimus, qua uirtute in
15 diuinitatis amore ferueamus.

4. Hoc autem nobis sollerter intuendum est, ne, cum
uerba exterioris amoris audimus, ad exteriora sentienda
remaneamus et machina, quae ponitur ut leuet, ipsa magis
opprimat ne leuemur. Debemus enim in uerbis istis corpo-
5 reis, in uerbis exterioribus, quidquid interius est quaerere et,

---

6. Nous croyons que ce terme rend justement l'expression *conscriptus
est.*

7. L'idée de l'abaissement de Dieu dans sa Parole aux fins de l'éléva-
tion de l'homme est reprise en termes analogues par Grégoire en *Mor.*, 2,
35 (*CCL* 143, p. 81).

moyen des énigmes, en reconnaissant dans les mots quelque chose qui lui est familier, elle comprend dans le sens des mots ce qui ne lui est pas familier, et grâce à un langage ter- restre, elle est séparée de la terre. Car, n'ayant pas d'aversion pour quelque chose de connu, elle comprend quelque chose d'inconnu. C'est en effet de ces réalités qui nous sont connues et dont sont faites les allégories que se revêtent les pensées divines ; alors en reconnaissant l'apparence extérieure des mots, nous parvenons à l'intelligence intérieure.

3. De là vient en effet que dans ce livre intitulé[6] *Cantiques des cantiques* sont employés les termes d'un amour qui paraît charnel : c'est afin que l'âme, sortant de son engourdissement, se réchauffe sous la friction de propos qui lui soient familiers et, grâce au langage de l'amour d'ici-bas, soit stimulée à l'amour d'en-haut. Dans ce livre en effet, on prononce le nom des baisers, le nom des seins, le nom des joues, le nom des cuisses ; ces mots ne doivent pas provoquer la moquerie vis-à-vis du texte sacré, mais faire estimer pour plus grande encore la miséricorde de Dieu : car, lorsqu'il mentionne les parties du corps et convie ainsi à l'amour, il faut remarquer de quelle façon merveilleuse et miséricordieuse il agit envers nous, lui qui, pour enflammer notre cœur et le provoquer à l'amour sacré, va jusqu'à employer le langage de notre amour grossier. Pourtant, par le fait même qu'il s'abaisse en parole, il nous élève en compréhension : car, c'est à partir du langage de cet amour-là que nous apprenons avec quelle force nous devons brûler de l'amour divin[7].

4. Par ailleurs, il nous faut faire soigneusement attention à ce qu'à l'écoute du langage de l'amour extérieur, nous n'en restions aux sensations extérieures, et que la machine mise en place pour nous élever ne nous écrase plutôt, au point qu'il nous soit impossible de nous élever. Nous devons en effet, à travers ce langage corporel, à travers ce langage extérieur, rechercher tout ce qui est intérieur et, tout en parlant du

loquentes de corpore, quasi extra corpus fieri. Debemus ad
has sacras nuptias sponsi et sponsae cum intellectu intimae
caritatis, id est cum ueste uenire nuptiali. Necesse est : ne, si
ueste nuptiali, id est digna caritatis intellegentia, non indui-
10 mur, ab hoc nuptiarum conuiuio in exteriores tenebras, id
est in ignorantiae caecitate, reppellamur[a]. Debemus per haec
uerba passionis transire ad uirtutem inpassibilitatis. Sic est
enim scriptura sacra in uerbis et sensibus, sicut pictura in
coloribus et rebus : et nimis stultus est, qui sic picturae colo-
15 ribus inheret, ut res, quae pictae sunt, ignoret. Nos enim, si
uerba, quae exterius dicuntur, amplectimur et sensus igno-
ramus, quasi ignorantes res, quae depictae sunt, solos
colores tenemus. Littera occidit, scriptum est, spiritus autem
uiuificat[b]. Sic enim littera cooperit spiritum, sicut palea tegit
20 frumentum. Sed iumentorum est paleis uesci, hominum fru-
mentis. Qui ergo humana ratione utitur, iumentorum paleas
abiciat et frumenta spiritus edere festinet. Ad hoc quippe
utile est, ut mysteria litterae inuolucris tegantur, quatenus
sapientia requisita plus sapiat. Hinc enim scriptum est :
25 *Sapientes abscondunt intellegentiam*[c] : quia nimirum sub
tegmine litterae spiritalis intellegentia cooperitur. Hinc rursum in eodem libro dicitur : *Gloria dei celare uerbum*[d].
Menti enim deum quaerenti tanto deus gloriosius apparet,

---

a. Cf. Matth. 22, 1-14   b. Cf. II Cor. 3, 6   c. Prov. 10, 14   d. Prov.
25, 2

---

8. On trouve cette expression *extra corpus fieri* reprise en plusieurs
endroits et sous différentes formes dans l'œuvre de Grégoire : *extra
carnem fieri* : *Mor.*, 7, 53 (*CCL* 143, p. 373) ; *extra carnem tolli* : *Mor.*,
10, 13 (*CCL* 143, p. 546) ; *extra carnem rapi* : *Mor.*, 10, 17 (*CCL* 143,
p. 550) ; *ultra se rapi* : *Mor.*, 24, 11 (*PL* 76, 292C) ; *extra homines esse* :
In Cant., 4.

9. Dans un compte rendu de l'édition critique de P. Verbraken
(*CCL* 114), J.H. WASZINK suggère d'interrompre la phrase après *nuptiali*
pour éviter le pléonasme de *necesse est* faisant suite à *debemus*. Cf. *Vig.
Christ.* 27 (1973), p. 74.

10. L'*impassibilitas* correspond ici à l'« apatheia » grecque.

corps, devenir en quelque sorte extérieurs au corps[8]. Nous devons venir à ces saintes épousailles de l'Époux et de l'Épouse avec l'intelligence de la charité la plus intérieure, autrement dit, y venir avec la robe nuptiale[9]. Cela est nécessaire : si nous ne revêtons la robe nuptiale — entendons une juste intelligence de la charité —, nous serons expulsés de ce repas nuptial dans les ténèbres extérieures, c'est-à-dire dans l'aveuglement de l'ignorance[a]. Nous devons, à travers ce langage de la passion, en venir à la vertu d'impassibilité[10]. Il en est en effet de l'Écriture sainte par rapport aux mots et aux significations comme de la peinture par rapport aux couleurs et aux objets ; et bien sot qui s'arrête aux couleurs de la peinture au point de ne pas reconnaître les objets qui sont peints ! Nous de même, si nous ne saisissons les mots que dans leur usage extérieur et restons ignorants de leurs significations, c'est comme si, ignorant les objets qui sont peints, nous ne nous attachions qu'aux couleurs. « La lettre tue, est-il écrit, mais l'esprit vivifie[b]. » En effet, la lettre recouvre l'esprit de la même façon que la paille enveloppe le froment. Mais c'est le propre des bestiaux de se repaître de paille, celui des hommes de se nourrir de froment. Ainsi, que celui qui est doté de la raison humaine rejette la paille des bestiaux et se hâte de manger le froment de l'esprit. Il est en effet utile[11] que les mystères revêtent les enveloppes de la lettre pour que la sagesse recherchée ait plus de saveur. Voilà pourquoi il est écrit : « Les sages dissimulent l'intelligence[c] », précisément parce que l'intelligence spirituelle est couverte de l'enveloppe de la lettre. Voilà pourquoi il est dit encore dans le même livre : « C'est la gloire de Dieu de dissimuler sa parole[d]. » C'est un fait que Dieu se manifeste avec d'autant plus de gloire à l'âme de qui le cherche que sa manifestation

---

11. Il nous apparaît évident qu'il faut retenir *utile* à la place de *utilis*, en conformité avec les manuscrits mentionnés dans l'apparat critique.

quanto subtilius atque interius inuestigatur, ut appareat. Sed
30 numquid, quod in mysteriis deus celat, nos requirere non
debemus ? Debemus utique ; nam sequitur : *Et gloria regum
inuestigare sermonem*[e]. Qui enim iam corpora sua uel motus
carnis regere et inuestigare nouerunt, reges sunt. Regum
ergo gloria est inuestigare sermonem : quia bene uiuentium
35 laus est perscrutari secreta mandatorum dei. Humanae ergo
conuersationis uerba audientes, quasi extra homines esse
debemus : ne, si humaniter quae dicuntur audimus, nihil
diuinitatis de his, quae audire debemus, sentire possimus.
Quasi iam non homines esse desiderabat Paulus discipulos
40 suos, quibus dicebat : *Cum enim sit inter uos zelus et
contentio, nonne homines estis*[f] ? Quasi non iam aestima-
bat homines discipulos suos dominus, cum dicebat : *Quem
dicunt homines esse filium hominis*[g] ? Cui, cum uerba hominum respondissent, illico adiunxit : *Vos autem quem me
45 dicitis*[h] ? Cum enim super dicit « homines » ac deinde
subiungit « uos autem », inter homines et discipulos quandam distantiam fecit : quia uidelicet, diuina eis insinuans,
esse eos supra homines faciebat. Ait apostolus : *Si qua igitur
in Christo noua creatura, uetera transierunt*[i]. Et scimus quia
50 in resurrectione nostra ita corpus spiritui adnectitur, ut
omne, quod fuerat passionis, in uirtute spiritus adsumatur. Is
ergo, qui deum sequitur, imitari debet cotidie resurrectionem
suam : ut, sicut tunc nihil passibile habebit in corpore, ita

e. *Ibid*   f. I Cor. 3, 3-4   g. Matth. 16, 13   h. Matth. 16, 15   i. II
Cor. 5, 17

12. Le terme *conuersatio*, introduit dans la littérature latine chrétienne
à travers la traduction de *Phil.* 3, 20 dans la Vulgate, est difficile à rendre
en français à cause des différents sens qu'il peut recouvrir. (Cf. C.
Mohrmann, *Études sur le latin des chrétiens*, II, Rome, 1961,
p. 343-344 ; Blaise, *Dictionnaires latin-français des auteurs chrétiens*,
s.v. ; *Lexicon latinitatis Medii Aevi* (*CCM*) s.v.). Ce mot *conuersatio* se
retrouve dans plusieurs textes de Grégoire, entre autres : *In Cant.*, 36,

est recherchée avec plus de perspicacité et d'intériorité. Mais est-ce que, par hasard, ce que Dieu dissimule dans ses mystères, nous ne devons pas le rechercher ? Nous le devons assurément d'après ce qui suit : « Et c'est la gloire des rois de scruter la parole[e]. » Ils sont rois en effet, ceux qui ont déjà appris à régir et à scruter leur corps et les mouvements de la chair. C'est donc la gloire des rois de scruter la parole, parce que c'est l'honneur de ceux qui vivent dans le bien de percer les secrets des commandements de Dieu. En entendant donc le langage du commerce des hommes[12], nous devons pour ainsi dire nous trouver à part des hommes ; sans quoi, nous ne pourrons rien ressentir du sens divin de ce que nous devons entendre. C'est ainsi que Paul souhaitait que ses disciples ne fussent pour ainsi dire plus des hommes, quand il leur disait : « Du moment qu'il y a parmi vous jalousie et discorde, n'êtes-vous pas des hommes[f] ? » De même le Seigneur estimait que ses disciples n'étaient pour ainsi dire plus des hommes quand il disait : « Au dire des hommes, qui est le Fils de l'homme[g] ? » Quand ils lui eurent rapporté la réponse des hommes, il enchaîna aussitôt : « Mais vous, qui dites-vous que je suis[h] ? » Ainsi, lorsqu'il dit plus haut « les hommes » et ajoute ensuite « mais vous », il marqua une certaine différence entre « les hommes » et les disciples : assurément parce qu'en les initiant aux réalités divines, il les élevait au-dessus des hommes. C'est l'Apôtre qui dit : « Si donc il y a dans le Christ une créature nouvelle, les choses anciennes ont disparu[i] ». Et nous savons que, lors de notre résurrection, le corps est si étroitement lié à l'esprit que tout ce qui avait été passion doit être assumé dans la puissance de l'esprit. Ainsi, quiconque marche à la suite de Dieu doit se faire chaque jour l'image de sa propre résurrection : de même qu'il n'aura alors plus rien de passible en son corps, que pareillement il n'ait

infra, p. 122 ; Mor., 6, 25 (CCL 143, p. 301) ; Mor., 15, 37 (CCL 143 A, p. 772) ; Mor., 24, 8 (PL 76, 291B).

nunc nihil passibile habeat in corde ; ut secundum interio-
55 rem hominem iam noua creatura sit, iam quidquid uetustum
sonuerit calcet, et in uerbis ueteribus solam uim nouitatis
inquirat.

5. Scriptura enim sacra mons quidam est, de quo in nostris cordibus ad intellegendum dominus uenit. De quo
monte per prophetam dicitur : *Deus a Libano ueniet et
sanctus de monte umbroso et condenso*[j]. Iste mons et
5 condensus est per sententias et umbrosus per allegorias. Sed
sciendum est quia, cum uox domini in monte sonat, uesti-
menta lauare praecipimur et ab omni carnis inquinatione
mundari, si ad montem accedere festinamus. Scriptum
quippe est quia, si bestia tetigerit montem, lapidabitur[k].
10 Bestia enim tangit montem, quando irrationabilibus motibus
dediti scripturae sacrae celsitudini propinquant, et non eam
secundum quod debent intellegunt, sed irrationabiliter ad
suae uoluptatis intellegentiam flectunt. Omnis enim absur-
dus uel sensu piger, si circa hunc montem uisus fuerit, atro-
15 cissimis sententiis ueluti lapidibus necatur. Ardet enim mons
iste : quia scriptura sacra uidelicet, quem spiritaliter replet,
amoris igne succendit. Vnde scriptum est : *Ignitum eloquium
tuum*[l]. Vnde, cum uerba dei audirent quidam in uia ambu-
lantes, dixerunt : *Nonne cor nostrum ardens erat in nobis,*
20 *cum aperiret nobis scripturas*[m] *?* Vnde per Moysen dicitur :
In dextera eius ignea lex[n]. Sinistra dei iniqui accipiuntur, qui

---

j. Hab. 3, 3   k. Cf. Hébr. 12, 20 ; Ex. 19, 12-13   l. Ps. 118, 140
m. Lc. 24, 32   n. Deut. 33, 2

---

13. L'image de la bête, empruntée à la prescription du livre de l'*Exode*
(19, 12), trouve dans notre texte une portée nouvelle chez Grégoire : la
« bête » n'est plus le Juif ou l'hérétique, mais celui qui limite sa lecture de
l'Écriture à la lettre, à l'interprétation « charnelle ». On trouve la même
application de cette image en *Mor.*, 6, 58 (*CCL* 143, p. 329). Pour une
étude plus approfondie sur ce sujet, cf. H. DE LUBAC, *Exégèse médiévale*, 2ᵉ partie, t. I, 113-128.

14. Le verbe *audire*, qui se retrouve dans plusieurs manuscrits, n'a pas

maintenant plus rien de passible en son cœur ; qu'il soit déjà une créature nouvelle selon l'homme intérieur, qu'il foule du pied tout ce qui a des résonances anciennes, et qu'il recherche dans ces mots anciens la seule force de la nouveauté.

5. L'Écriture sainte est en effet une sorte de montagne d'où le Seigneur vient en nos cœurs pour nous donner l'intelligence. C'est de cette montagne qu'il est dit par la voix du prophète : « Dieu viendra du Liban, et le Saint de la montagne ombragée et touffue[j]. » Cette montagne est à la fois touffue en ses pensées et ombragée en ses allégories. Mais sachons que, lorsque la voix du Seigneur résonne dans la montagne, il nous est enjoint de laver nos vêtements et de nous purifier de toute souillure de la chair, si nous nous hâtons de nous approcher de la montagne. Car il est écrit que la bête qui aura touché la montagne sera lapidée[k]. En effet, une bête touche la montagne lorsque ceux qui s'abandonnent à des mouvements irrationnels s'approchent des hauteurs de l'Écriture sainte et ne la comprennent pas comme ils le devraient, mais l'infléchissent d'une façon irrationnelle dans le sens de leur volupté[13]. Car tout insensé ou tout paresseux d'esprit qui aura été vu aux environs de cette montagne est tué par les sentences les plus impitoyables comme par des pierres. Car elle est embrasée, cette montagne : parce qu'en vérité, celui que l'Écriture sainte rassasie spirituellement, elle le brûle du feu de l'amour. Aussi est-il écrit : « Ton oracle est de feu[l]. » C'est pourquoi, lorsque ces hommes qui faisaient route entendirent[14] les paroles de Dieu, ils dirent : « Notre cœur n'était-il pas brûlant au-dedans de nous, quand il nous expliquait les Écritures[m] ? » Aussi est-il dit par la bouche de Moïse : « Dans sa droite, la loi de feu[n]. » Par la gauche de

---

été retenu par P. Verbraken dans l'édition critique. Il est nécessaire de l'ajouter pour rendre clairement le sens du texte.

in dextera parte non transeunt ; dextera dei electi sunt, qui a
sinistris separantur. In dextera ergo dei lex ignea est : quia in
electorum cordibus, qui ad dexteram ponendi sunt, flagrant
25 praecepta diuina et caritatis ardore succensa sunt. Iste ergo
ignis, quidquid in nobis est exterius rubiginis et uetustatis,
exurat : ut mentem nostram uelut holocaustum in dei
contemplatione offerat.

6. Nec uacue adtendendum est, quod liber iste non « canticum » sed « Canticum canticorum » uocatur. Sicut enim in
ueteri testamento alia sunt sancta et alia sancta sanctorum,
alia sabbata et alia sabbata sabbatorum, ita in scriptura
5 sacra alia sunt cantica et alia Cantica canticorum. Sancta
erant in tabernaculo et quae exterius agebantur, sabbata
erant quae et singulis ebdomadibus celebrabantur ; sed
sancta sanctorum secretiori quadam ueneratione suscipie-
bantur, et sabbata sabbatorum nonnisi in suis festiuitatibus
10 colebantur. Ita Cantica canticorum secretum quoddam et
sollemne interius est. Quod secretum in occultis intellegen-
tiis penetratur : nam, si exterioribus uerbis adtenditur, secretum non est.

7. Sciendum est etiam quia in scriptura sacra alia sunt
cantica uictoriae, alia cantica exhortationis et contestationis,
alia cantica exultationis, alia cantica adiutorii, alia cantica
coniunctionis cum deo. Canticum uictoriae est, quod
5 Maria, transacto mari rubro, cecinit dicens : *Cantemus
domino : gloriose enim honorificatus est, equum et ascen-
sorem proiecit in mare*[o]. Canticum exhortationis et contestationis est, quod Moyses israhelitis ad terram repromissionis
propinquantibus dixit : *Adtende, caelum, et loquar : audiat*

o. Ex. 15,   21

15. La forme plurielle que l'on trouve dans le titre de l'ouvrage est justifiée ici.

16. Cette prière de louange, que l'on trouve d'abord sur les lèvres
de Moïse en *Ex.* 15, 1, est reprise par Marie en *Ex.* 15, 21.

Dieu, on entend les impies qui ne passent pas du côté droit ;
la droite de Dieu, ce sont les élus, qui sont séparés de ceux de
la gauche. Donc, à la droite de Dieu, la loi est de feu : parce
que dans le cœur des élus, qui doivent être placés à la droite,
flambent les préceptes divins et ils brûlent de l'ardeur de la
charité. Que ce feu consume donc tout ce qui se trouve en
nous de rouille et de vieillesse extérieures, offrant ainsi notre
âme en holocauste dans la contemplation de Dieu.

6. Et il n'est pas superflu de remarquer que ce livre ne
s'intitule pas « Cantique » mais *Cantique des cantiques*. De
même en effet que dans l'Ancien Testament, il y a des choses
saintes et des choses saintes entre les saintes, des sabbats et
des sabbats de sabbats, de même il y a dans l'Écriture sainte
des cantiques et des *Cantiques des cantiques*[15]. Saintes
étaient les choses qui se trouvaient dans la tente et celles que
l'on accomplissait au dehors ; les sabbats étaient ceux qu'on
célébrait chaque semaine. Mais les choses saintes entre les
saintes étaient entourées d'une vénération en quelque sorte
plus secrète, et les sabbats de sabbats n'étaient célébrés que
dans leurs solennités particulières. Ainsi, les *Cantiques des
cantiques* expriment certaine réalité secrète et une solennité
plus intérieure. Ce secret ne se laisse pénétrer que par
l'intelligence des significations cachées ; en effet, si on s'en
tient aux sens extérieurs des mots, il n'y a pas de secret.

7. Sachons aussi que dans l'Écriture sainte, il y a respecti-
vement des cantiques de victoire, des cantiques d'exhortation
et d'attestation, des cantiques d'exultation, des cantiques
d'assistance, des cantiques d'union à Dieu. C'est un cantique
de victoire que Marie[16] après la traversée de la mer Rouge
chanta en ces termes : « Célébrons le Seigneur : car il s'est
couvert de gloire, il a jeté à la mer cheval et cavalier[o]. » C'est
un cantique d'exhortation et d'attestation que Moïse adressa
aux Israélites lorsqu'ils approchaient de la Terre Promise :

10 *terra uerba ex ore meo*[p]. Canticum exultationis est, quod
Anna, prospecta fecunditate ecclesiae in semetipsa, cecinit
dicens : *Exultauit cor meum in domino*[q]. Vbi per semetipsam
figurate fecunditatem prolis ecclesiasticae expressit, cum
dicit : *Sterilis peperit plurimos et, quae multos habebat filios,*
15 *infirmata est*[r]. Canticum adiutorii Dauid post proelium
cecinit dicens : *Diligam te, domine, uirtus mea*[s]. Canticum
uero coniunctionis cum deo hoc est canticum, quod in
nuptiis sponsi et sponsae canitur, id est Canticum canticorum. Quod tanto est omnibus canticis sublimius, quanto
20 et in nuptu sollemnitatis sublimioris offertur. Per illa enim
cantica uitia deuitantur, per ista uero unusquisque uirtutibus
locupletatur ; per illa cauetur hostis, per haec dominus familiari amore conplectitur.

8. Et notandum, quia aliquando se dominus in scriptura
sacra dominum uocat, aliquando patrem, aliquando sponsum. Quando enim uult se timeri, dominum se nominat :
quando uult honorari, patrem ; quando uult amari, sponsum.
5 Ipse per prophetam dicit : *Si dominus ego sum, ubi est timor*
meus ? Si pater ego sum, ubi est honor meus[t] *?* Et rursum
dicit : *Desponsaui te mihi in iustitia et fide*[u]. Vel certe :
Recordatus sum diei desponsationis tuae in deserto[v]. Et quidem apud deum quando et quando non est ; sed, quia prius
10 timeri se uult ut honoretur, et prius honorari ut ad eius amorem perueniatur, et dominum se propter timorem nominat et
patrem propter honorem et sponsum propter amorem : ut
per timorem ueniatur ad honorem, per honorem uero eius
perueniatur ad amorem. Quanto ergo dignius est honor

p. Deut. 32, 1   q. I Sam. 2, 1   r. I Sam. 2, 5   s. Ps. 17, 2   t. Mal. 1,
6   u. Os. 2, 19-20   v. Jér. 2, 2

17. *Figurate* nous semble davantage justifié dans le contexte que
figuram. Cf. P. MEYVAERT, *loc. cit.,* p. 217.

« Ciel, prête l'oreille et je parlerai ; que la terre écoute les paroles de ma bouche[p]. » C'est un cantique d'exultation qu'Anne, prévoyant d'après elle-même la fécondité de l'Église, chanta en ces termes : « Mon cœur a exulté dans le Seigneur[q]. » En cela, c'est par elle-même qu'elle a exprimé en figure[17] la postérité féconde de l'Église, en disant : « La femme stérile a enfanté de très nombreux enfants, et celle qui avait de nombreux fils a perdu sa force[r]. » C'est un cantique de secours reçu que David chanta en ces termes après le combat : « Je t'aimerai, Seigneur, ma force[s]. » Quant au cantique d'union à Dieu, c'est le cantique que l'on chante aux noces de l'Époux et de l'Épouse, c'est-à-dire le *Cantique des cantiques*. Or, il est d'autant plus élevé que tous les autres cantiques qu'il est chanté dans une noce dont la solennité est plus élevée. Car grâce aux premiers cantiques on évite le mal, alors que grâce à celui-ci on devient riche de vertus ; grâce aux premiers, on se prémunit contre l'ennemi, grâce à celui-ci on s'unit au Seigneur d'un amour intime.

8. Il y a lieu de remarquer aussi que dans l'Écriture sainte, le Seigneur se nomme tantôt Maître, tantôt Père, tantôt Époux. En effet, quand il veut qu'on le craigne, il se nomme Maître ; quand il veut qu'on l'honore, Père ; quand il veut qu'on l'aime, Époux. Lui-même dit par la bouche du prophète : « Si je suis Maître, où est la crainte qui m'est due ? Si je suis Père, où est l'honneur qui m'est dû[t] ? » Et il dit encore : « Je t'ai fiancée à moi dans la justice et la fidélité[u]. » Ou bien encore : « Je me suis souvenu du jour de tes fiançailles dans le désert[v]. » Certes, il n'y a pas de moments différents en Dieu ; mais parce qu'il veut d'abord être craint pour qu'on lui rende honneur, et d'abord honoré pour qu'on accède à son amour, il se nomme aussi bien Maître pour qu'on le craigne, Père pour qu'on l'honore et Époux pour qu'on l'aime : ainsi, à travers la crainte on en vient à l'honneur, et à travers l'honneur qu'on lui rend on aboutit à

15 quam timor, tanto plus gaudet deus pater dici quam dominus : et, quanto carius est amor quam honor, tanto plus
gaudet deus sponsus dici quam pater. In hoc ergo libro
dominus et ecclesia non « dominus » et « ancilla », sed
« sponsus » nominatur et « sponsa » : ut non soli timori, non
20 soli reuerentiae, sed etiam amori deseruiatur et in his uerbis
exterioribus incitetur affectus interior. Cum se dominum
nominat, indicat quod creati sumus ; cum se patrem nominat, indicat quod adoptati ; cum se sponsum nominat, indicat quod coniuncti. Plus autem est coniunctos esse deo,
25 quam creatos et adoptatos. In hoc ergo libro, ubi sponsus
dicitur, aliquid sublimius insinuatur, dum in eo foedus
coniunctionis ostenditur. Quae nomina in testamento nouo
(quia iam peracta coniunctio uerbi et carnis, Christi et ecclesiae, celebrata est) frequenti iteratione memorantur. Vnde
30 Iohannes dicit, domino ueniente : *Qui habet sponsam, sponsus est*[w]. Vnde idem dominus dicit : *Non ieiunabunt filii
sponsi, quandiu cum illis est sponsus*[x]. Vnde ecclesiae dicitur : *Desponsaui uos uni uiro uirginem castam exhibere
Christo*[y]. Et rursum : *Vt exhiberet gloriosam ecclesiam, non
35 habentem maculam aut rugam*[z]. Et rursum in Apocalypsi
Iohannis : *Beati, qui ad coenam nuptiarum agni uocati
sunt*[a] *!* Et rursum ibidem : *Et uidi sponsam quasi nouam
nuptam descendentem de caelo*[b].

9. Nec hoc a magno mysterio abhorret, quod liber iste
Salomonis tertius in opusculis eius ponitur. Veteres enim
tres uitae ordines esse dixerunt : moralem, naturalem et

w. Jn 3, 29   x. Matth. 9, 15   y. II Cor. 11, 2   z. Éphés. 5, 27
a. Apoc. 19, 9   b. Apoc. 21, 2

l'amour. Autant l'honneur est chose plus digne que la crainte, autant Dieu se plaît davantage à être appelé Père plutôt que Maître ; et autant l'amour est chose plus chère que l'honneur, autant Dieu se plaît davantage à être appelé Époux plutôt que Père. C'est pourquoi le Seigneur et l'Église ne sont pas appelés dans ce livre « Maître » et « Servante », mais Époux et Épouse ; pour ce que ce ne soit pas seulement dans la crainte ni seulement dans la révérence, mais aussi dans l'amour qu'on le serve, et que par ces titres extérieurs soit stimulé le sentiment intérieur. Quand il se nomme Maître, il veut dire que nous avons été créés ; quand il se nomme Père, il veut dire que nous avons été adoptés ; quand il se nomme Époux, il veut dire que nous lui avons été unis. Or le fait d'avoir été unis à Dieu est bien plus que d'avoir été créés et adoptés. Dans le présent livre donc, où il est appelé Époux, est suggéré quelque chose de plus sublime, puisqu'on y découvre un contrat d'union. Ces termes sont rappelés à de nombreuses reprises dans le Nouveau Testament, parce qu'y est célébrée l'union déjà consommée du Verbe et de la chair, du Christ et de l'Église. Ainsi Jean dit-il au moment de la venue du Seigneur : « Celui qui possède l'Épouse est l'Époux[w]. » Ainsi ce même Seigneur dit-il : « Les compagnons de l'Époux ne jeûneront pas aussi longtemps que l'Époux est parmi eux[x]. » Ainsi, est-il dit à l'Église : « Je vous ai fiancés à un Époux unique, comme une vierge pure à présenter au Christ[y]. » Et encore : « Afin de présenter une Église resplendissante, n'ayant ni tache ni ride[z]. » Et encore, dans l'Apocalypse de Jean : « Heureux ceux qui sont invités au festin des noces de l'Agneau[a] ! » Et encore, au même livre : « Et je vis l'Épouse comme une jeune mariée qui descendait du ciel[b]. »

9. En outre, il ne messied pas à la grandeur du mystère que ce livre de Salomon soit classé à la troisième place parmi ses œuvres. En effet, les Anciens ont affirmé qu'il y a trois genres de vie qui s'ordonnent ainsi : la vie morale, la vie

contemplatiuam ; quas graeci uitas ethicam, fisicam, theori-
5 cam nominauerunt. In Prouerbiis quoque moralis uita exprimitur, ubi dicitur : *Audi, fili mi, sapientiam meam et prudentiae meae inclina aurem tuam*[c]. In Ecclesiasten uero, naturalis : ibi quippe, quod omnia ad finem tendant, conside-
ratur, cum dicitur : *Vanitas uanitantium et omnia uanitas*[d].
10 In Canticis uero canticorum contemplatiua uita exprimitur,
dum in eis ipsius domini aduentus et adspectus desideratur,
cum sponsi uoce dicitur : *Veni de Libano, ueni*[e]. Hos etiam
ordines trium patriarcharum uita signauit : Abraham, Isaac
uidelicet et Iacob. Moralitatem quippe Abraham oboediendo
15 tenuit[f]. Isaac uero naturalem uitam puteos fodiendo
figurauit[g] : in imo enim puteos fodere est per consideratio-
nem naturalem omnia, quae infra sunt, perscrutando rimari.
Iacob uero contemplatiuam uitam tenuit, qui ascendentes et
descendentes angelos uidit[h]. Sed, quia naturalis consideratio
20 ad perfectionem non perducitur, nisi prius moralitas tenea-
tur, recte post Prouerbia Ecclesiastes ponitur. Et, quia
superna contemplatio non conspicitur, nisi prius haec infra
labentia despiciantur, recte post Ecclesiasten Cantica canticorum ponitur. Prius quippe est mores conponere ; postmo-
25 dum omnia, quae adsunt, tamquam non adsint considerare :
tertio uero loco munda cordis acie superna et interna conspi-
cere. His itaque librorum gradibus quasi quandam ad
contemplationem dei scalam fecit : ut, dum primum in sae-
culo bene geruntur honesta, postmodum etiam honesta sae-

---

c. Prov. 5, 1   d. Eccl. 1, 2   e. Cant. 4, 8   f. Cf. Gen. 12, 4   g. Cf.
Gen. 26, 14-22   h. Cf. Gen. 28, 12

18. Grégoire oppose ici la *naturalis consideratio* à la *superna contemplatio* qu'il présente plus bas comme l'étape ultime de la connaissance et
de la vie spirituelles.

19. Nous avons retenu la forme plurielle *ponuntur*. Seul le parallélisme
avec la phrase précédente peut justifier un tant soit peu la forme *ponitur*.

20. Les mots entre parenthèses sont ajoutés par le traducteur pour
assurer une meilleure compréhension du texte.

naturelle, la vie contemplative ; les Grecs les ont appelées
éthique, physique et théorétique. Aussi, dans les *Proverbes*,
c'est bien la vie morale qui est présentée quand on dit :
« Mon fils, sois attentif à ma sagesse et prête l'oreille à mon
savoir[c]. » Dans *l'Ecclésiaste,* c'est la vie naturelle : car là on
constate que toutes choses tendent à leur fin quand on dit :
« Vanité des vanités et tout est vanité[d]. » Et dans les
Cantiques des cantiques, c'est la vie contemplative qui est
présentée, du fait qu'on y désire l'avènement et la vision du
Seigneur en personne lorsqu'il est dit par la voix de l'Époux :
« Viens du Liban, viens[e]. » Ces trois genres de vie sont
signifiés également par la vie de trois patriarches : Abraham,
Isaac et Jacob. En effet, Abraham a vécu la vie morale en
obéissant[f]. De son côté, Isaac a préfiguré la vie naturelle en
creusant des puits[g], car creuser des puits en profondeur, c'est
examiner d'un regard pénétrant, en réfléchissant sur la
nature[18], toutes les réalités inférieures. Quant à Jacob, il a
vécu la vie contemplative, lui qui a vu monter et descendre
les anges[h]. Mais parce que la réflexion sur la nature ne
parvient pas à la perfection sans qu'on ait au préalable vécu
la vie morale, il est logique que l'*Ecclésiaste* fasse suite aux
Proverbes. Et parce qu'on ne peut ouvrir son regard à la
contemplation divine sans avoir au préalable fait fi des
réalités inférieures et éphémères, il est logique que les
Cantiques des cantiques fassent suite[19] à l'*Ecclésiaste*. La
première chose est de bien régler sa vie morale ; ensuite de
considérer tout ce qui existe présentement comme n'existant
pas ; en troisième lieu enfin, d'ouvrir son regard aux réalités
supérieures et aux réalités intérieures avec le pur regard du
cœur. Ainsi, par cette disposition progressive de ses livres,
(Salomon)[20] a construit une sorte d'échelle menant à la
contemplation de Dieu, pour qu'en s'acquittant bien tout
d'abord de ce qui est honnête en ce siècle, et qu'en faisant fi

30 culi despiciantur, ad extremum etiam dei intima conspician-
tur. Sic autem generaliter ex uoce ecclesiae aduentus domini
in hoc opere praestolatur, ut etiam specialiter unaquaeque
anima ingressum dei ad cor suum tamquam aditum sponsi
in thalamum adspiciat.

10. Et sciendum quia in hoc libro quatuor personae
loquentes introducuntur : sponsus uidelicet, et sponsa, adulescentulae uero cum sponsa, et greges sodalium cum
sponso. Sponsa enim ipsa perfecta ecclesia est ; sponsus,
5 dominus ; adulescentulae uero cum sponsa sunt inchoantes
animae et per nouum studium pubescentes ; sodales uero
sponsi sunt siue angeli, qui saepe hominibus ab ipso uenien-
tes apparuerunt, seu certe perfecti quique uiri in ecclesia, qui
ueritatem hominibus nuntiare nouerunt. Sed hi, qui singil-
10 latim adulescentulae uel sodales sunt, toti simul sponsa sunt,
quia toti simul ecclesia sunt. Quamuis et iuxta unumquem-
que tota haec tria nomina accipi possint. Nam, qui deum
iam perfecte amat, sponsa est ; qui sponsum praedicat,
sodalis est ; qui adhuc nouellus uiam bonorum sequitur,
15 adulescentula est. Inuitamur ergo, ut simus sponsa ; si hoc
necdum praeualemus, simus sodales ; si neque hoc adepti
sumus, saltem adhuc thalamum adulescentulae conuenia-
mus. Quia igitur sponsum et sponsam dominum et ecclesiam
diximus, uelut adulescentulae uel ut sodales audiamus uerba
20 sponsi, audiamus uerba sponsae, et in eorum sermonibus
feruorem discamus amoris.

---

21. Ce qui est dit de l'Église peut toujours, pour Grégoire, être appliqué
à l'âme individuelle. C'est dans sa démarche exégétique le recours au sens
tropologique qui confère au texte biblique une portée à la fois mystique et
morale. Voir à ce sujet H. DE LUBAC, *Exégèse médiévale*, 1ère partie, t. II,
p. 549-571.

22. L'étude des sources du commentaire nous a fait voir jusqu'à quel
point, dans ce paragraphe comme dans plusieurs autres, Grégoire reste en
dépendance directe d'Origène. Le scénario du *Cantique*, esquissé ici par

ensuite même de ce qui est honnête en ce siècle, on finisse par ouvrir son regard même aux profondeurs de Dieu. Dans cet ouvrage donc, la voix de l'Église dans son ensemble attend l'avènement du Seigneur de telle sorte que chaque âme en particulier envisage également l'entrée de Dieu en son cœur comme l'accès de l'Époux au lit conjugal[21].

10. Sachons aussi que ce livre met en scène quatre interlocuteurs[22] : il s'agit de l'Époux et de l'Épouse, des jeunes filles suivant l'Épouse et des troupes de compagnons escortant l'Époux. L'Épouse en effet, c'est l'Église elle-même dans sa perfection ; l'Époux, c'est le Seigneur ; d'autre part, les jeunes filles accompagnant l'Épouse, ce sont les âmes novices, adolescentes dans leur jeune zèle ; quant aux compagnons de l'Époux, ce sont soit les anges qui, venant de sa part, se sont souvent manifestés aux hommes, soit aussi tous ces hommes parfaits dans l'Église qui savent annoncer la vérité aux hommes. Mais ceux qui, pris individuellement, sont les jeunes filles et les compagnons sont à eux tous l'Épouse, puisque, à eux tous, ils sont l'Église. Toutefois, même pris un par un, ils peuvent recevoir tous ces trois noms à la fois. En effet, qui aime déjà Dieu à la perfection est Épouse ; qui annonce l'Époux est compagnon ; qui suit, novice encore, la voie du bien est jeune fille. Nous sommes donc invités à devenir Épouse ; si nous n'en sommes pas encore capables, soyons compagnons ; et si nous n'en sommes pas encore à ce degré, allons du moins tous ensemble comme des jeunes filles vers la chambre nuptiale. Ayant donc désigné comme l'Époux et l'Épouse le Seigneur et l'Église, écoutons dans le rôle des jeunes filles ou des compagnons les paroles de l'Époux, écoutons les paroles de l'Épouse et apprenons dans leurs propos l'ardeur de l'amour.

Grégoire, est rigoureusement celui qu'Origène avait établi. Cf. *Hom. in Cant.*, 1, 1 (*GCS* 8, p. 28-29).

11. Itaque, sancta ecclesia, diu praestolans aduentum domini, diu sitiens fontem uitae, quomodo optet uidere praesentiam sponsi sui, quomodo desideret, edicat :

I, 1   **12.** OSCVLETVR ME OSCVLIS ORIS SVI. Angelos ad eam dominus, patriarchas ad illam et prophetas miserat, spiritalia dona deferentes ; sed ipsa uero munera non per seruos sponsi, sed ipsum iam sponsum percipere quaerebat. Pona-
5 mus ante oculos omne genus humanum ab exordio mundi usque ad finem mundi, totam uidelicet ecclesiam, unam esse sponsam, quae arras spiritali dono per legem perceperat ; sed tamen sponsi sui praesentiam quaerebat, quae dicit : *Osculetur me osculis oris sui.* Suspirans enim sancta ecclesia
10 pro aduentu mediatoris dei et hominum, pro aduentu redemptoris sui, ad patrem uerba orationis facit, ut filium dirigat et sua illam praesentia inlustret, ut eidem ecclesiae non iam per prophetarum sed suo ore adlocutionem faciat. Vnde et de eodem sponso in euangelio scriptum est, cum
15 sederet in monte et sublimium praeceptorum uerba faceret : *Aperiens autem Iesus os suum, dixit*[i]. Ac si dicatur : « Tunc os suum aperuit, qui prius ad exhortationem ecclesiae aperuerat ora prophetarum ».

13. Sed ecce, cum suspirat, cum quasi absentem quaerit, subito intuetur praesentem. Habet enim hoc gratia creatoris nostri, ut, cum de illo quaerentes eum loquimur, eius prae-

---

i. Matth. 5, 2

---

23. Ce premier verset du *Cantique* est commenté par Grégoire dans trois autres passages de son œuvre : *Mor.*, 14, 51 (*CCL* 143 A, p. 729) ; *Mor.*, 27, 34 (*PL* 76, 419 A) ; *Hom. in Ev.*, 33, 6 (*PL* 76, 1243B). Dans le premier cas, comme ici, Grégoire emploie la forme *osculis*. Le singulier *osculo* revient plus bas, cf. § 15.

24. En *Mor.*, 2, 50 (*CCL* 143, p. 89), les précurseurs de l'Époux sont comparés à ce serviteur fidèle qu'Abraham chargea d'aller chercher Rébecca pour en faire l'épouse d'Isaac (*Gen.* 24).

11. Ainsi, que l'Église sainte dans sa longue attente de la venue du Seigneur, dans sa longue soif de la source de vie, proclame à quel point elle aspire à se voir en présence de son Époux et à quel point elle le désire :

Cant.,   L'ÉPOUSE   **12.** QU'IL ME BAISE DES BAI-
1, 1   SERS DE SA BOUCHE[23]. Vers elle le Seigneur avait envoyé les anges, vers elle les patriarches et les prophètes, porteurs de dons spirituels[24] ; pourtant ce n'était plus les cadeaux transmis par les serviteurs de l'Époux qu'elle désirait accueillir, mais maintenant l'Époux en personne. Représentons-nous le genre humain tout entier depuis le début du monde jusqu'à sa fin, c'est-à-dire toute l'Église, comme une Épouse unique qui avait reçu des arrhes sous forme de don spirituel par la Loi ; cependant, c'était la présence de son Époux qu'elle désirait en disant : *Qu'il me baise des baisers de sa bouche.* Soupirant en effet après l'avènement du médiateur entre Dieu et les hommes, après l'avènement de son rédempteur, l'Église sainte adresse au Père des paroles de prière pour qu'il envoie son Fils et qu'il l'illumine de sa présence, pour que ce ne soit plus par la bouche des prophètes, mais par sa propre bouche, qu'il adresse la parole à cette même Église. Aussi, est-il écrit dans l'Évangile au sujet de cet Époux, au moment où il était assis sur la montagne et où il énonçait les paroles de ses sublimes préceptes : « Ouvrant sa bouche, Jésus dit[i]. » Comme s'il était dit : Il ouvrit alors sa bouche, lui qui avait auparavant ouvert la bouche des prophètes pour exhorter l'Église.

            L'ÉPOUSE   **13.** Mais voici que, tandis qu'elle soupire, tandis qu'elle le cherche comme s'il était absent, elle perçoit soudain sa présence. En effet, la grâce de notre Créateur a ce pouvoir de nous faire jouir de sa présence dès que nous parlons de lui en

sentia perfruamur. Vnde in euangelio scriptum est, quia,
5 dum Cleopas et alius de illo in itinere uerba facerent, praesentem eum subito uidere meruerunt[j]. Dum ergo sancta
ecclesia incarnandum sponsum adhuc absentem desiderat,
I, 1-2 subito intuetur praesentem atque subiungit : QVIA MELIORA
SVNT VBERA TVA VINO ET ODOR VNGVENTORVM TVORVM
10 SVPER OMNIA AROMATA. Vinum fuit scientia legis, scientia
prophetarum. Sed ueniens dominus, quia sapientiam suam
per carnem uoluit praedicare, quasi fecit eam in carnis ubera
lactescere : quam enim in diuinitate sua capere minime pote-
ramus, in incarnatione eius agnosceremus. Vnde non inme-
15 rito eius ubera laudantur : quia praedicationis eius condes-
censio hoc egit in cordibus nostris, quod doctrina legis agere
minime ualuit. Plus enim nos nutriuit incarnationis praedicatio quam legis doctrina. Dicat ergo : *Meliora sunt ubera
tua super uinum.*

14. Quod adhuc confirmans, subiungit ac dicit : *Et odor
unguentorum tuorum super omnia aromata.* Vnguenta domini uirtutes sunt, unguentum domini spiritus sanctus fuit. De
quo ei per prophetam dicitur : *Vnxit te deus, deus tuus, oleo*
5 *laetitiae prae consortibus tuis*[k]. Hoc oleo tunc unctus est,
cum incarnatus : non enim prius homo extitit, et postmodum
spiritum sanctum accepit ; sed, quia spiritu sancto mediante
incarnatus est, eodem hoc oleo tunc unctus est, cum homo
creatus est. Odor ergo unguenti eius est flagrantia spiritus

j. Cf. Lc. 24, 13-35   k. Ps. 44, 8

---

25. Cette idée d'une présence intuitive et fugitive de Dieu produite par
l'ardeur du désir est exprimée encore plus clairement dans d'autres textes
de Grégoire ; par exemple : *Qui ergo mente integra Deum desiderat,
profecto iam habet quem amat* (*Hom. in Ev.*, 30, 1 : *PL* 76, 1220 C). Cf.
Mor., 5, 58 (*CCL* 143, p. 259-260) ; *Mor.*, 16, 33 (*CCL* 143 A, p. 818).

26. On peut intercaler ici *subito* en correspondance avec son emploi
dans la ligne suivante. Cf. P. MEYVAERT, *loc. cit.*, p. 217.

le cherchant[25]. Aussi est-il écrit dans l'Évangile qu'au
moment où Cléophas et l'autre disciple s'entretenaient de lui
en chemin, il leur fut donné de le voir soudain[26] présent[j].
Lors donc que l'Église sainte désire, tandis qu'il est encore
absent, l'Époux qui devait s'incarner, elle le voit soudain
1, 1-2 présent et ajoute : Tes seins sont meilleurs que le vin, et
l'odeur de tes parfums d'onction surpasse tous les
aromates. Le vin, c'était la science de la loi, la science des
prophètes. Mais, en venant, le Seigneur, voulant prêcher sa
propre sagesse dans la chair, l'a fait pour ainsi dire devenir
comme du lait dans les seins de cette chair ; en sorte que
nous puissions reconnaître dans son incarnation cette sagesse
que nous ne pouvions saisir dans sa divinité. Aussi n'est-ce
pas sans raison qu'on loue ses seins : car la condescendance
de sa prédication a réalisé en nos cœurs ce que l'enseignement de la Loi n'a pu réaliser. Car la prédication de l'Incarnation nous a nourri plus abondamment que l'enseignement
de la Loi. Que l'Épouse dise donc : *Tes seins sont meilleurs
que le vin.*

14. Confirmant encore cela, elle ajoute ces mots : *Et
l'odeur de tes parfums d'onction surpasse tous les aromates.*
Les parfums d'onction du Seigneur, ce sont les vertus, le parfum d'onction du Seigneur, ce fut l'Esprit-Saint[27]. A ce sujet,
il lui est dit par la bouche du prophète : « Dieu, ton Dieu, t'a
oint d'une huile d'allégresse de préférence à tes compagnons[k]. » Il a été oint de cette huile au moment de son Incarnation : car il ne se fit pas homme d'abord pour ne recevoir
qu'ensuite l'Esprit-Saint ; mais puisqu'il s'est incarné par la
médiation de l'Esprit-Saint, il a été oint de cette même huile
dès le moment où en tant qu'homme il a été créé. L'odeur de

---

27. Ce lien entre les vertus et l'Esprit-Saint est bien exprimé par
Grégoire en *Mor.*, 2, 89-92 (*CCL* 143, p. 111-114).

10 sancti, qui, ex illo procedens, in illo permansit. Odor
unguentorum eius est flagrantia uirtutum, quas operatus est.
Hauriat autem ecclesia aromata : quia habuit multa spiritus
dona, quae in domo dei, id est in congregatione sanctorum,
odorem bonae opinionis redderent et suauitatem futuri
15 mediatoris nuntiarent. Sed *Odor unguentorum tuorum super
omnia aromata :* quia flagrantia uirtutum sponsi, quae per
incarnationem eius facta est, uicit praedicamenta legis, quae
in arris ab sponso fuerant praerogata. Tanto quippe amplius
ad intellectum creuit ecclesia, quanto et amplioris uisionis
20 gratia meruit inlustrari. Illa legis aromata per angelos ammi-
nistrata sunt, istud unguentum per praesentiam sponsi
datum est. Sed, quia claritate eius praesentiae superata sunt
bona legis, quae sublimia esse credebantur, dicatur recte :
Odor unguentorum tuorum super omnia aromata.

15. Hoc autem, quod generaliter de cuncta ecclesia diximus, nunc specialiter de unaquaque anima sentiamus. Ponamus ante oculos esse animam quandam donorum studiis
inherentem, intellectum ex aliena praedicatione percipien-
5 tem : quae per diuinam gratiam etiam ipsa inlustrari desiderat, ut aliquando etiam per se intellegat : quae nihil se
intellegere nisi per uerba praedicatorum considerat ; et
I, 1   dicat : OSCVLETVR ME OSCVLO ORIS SVI. « Ipse me tangat
intus, ut cognoscam intellegentia, et non iam praedicatorum
10 uocibus sed internae eius gratiae tactu perfruar ». Quasi
osculo oris sui osculabatur Moysen dominus, cum ei per
fiduciam familiaris gratiae intellectum porrigeret. Vnde
scriptum est : *Si fuerit propheta, in somnium loquar ad eum,*

---

28. L'expression *bona opinio* est employée dans le même sens par
Grégoire en *Hom. in Ev.*, 33, 6 (*PL* 76, 1243 A) et plus loin : *In Cant.*, 17.

29. Grégoire énonce clairement ici le principe du développement pro-
gressif de la révélation. Ce principe est repris avec des illustrations en
Hom. in Ez., 2, 4, 12 (*CCL* 142, p. 267-268).

30. Il faut lire ici *unaquaque* plutôt que *unaquaeque*. Cf. J.H. WASZINK,
loc. cit., p. 74.

son parfum d'onction est donc l'arôme de l'Esprit-Saint qui, procédant de lui, est demeuré en lui. L'odeur de ses parfums d'onction est l'arôme des vertus qu'il a pratiquées. Ainsi, que l'Église hume les aromates : car elle a été dotée de nombreux dons de l'Esprit qui devaient exhaler dans la maison de Dieu, entendons dans l'assemblée des saints, une odeur de bonne renommée[28], et annoncer le suave parfum du médiateur à venir. Mais *l'odeur de tes parfums d'onction surpasse tous les aromates* : parce que l'arôme des vertus de l'Époux résultant de son Incarnation, l'a emporté sur les figures de la Loi qui avaient été octroyées en arrhes par l'Époux. Car l'Église a progressé en intelligence dans la mesure où elle a obtenu d'être éclairée par la grâce d'une plus ample vision[29]. Ces aromates de la Loi ont été servis par les anges, tandis que cette onction parfumée a été donnée par la présence de l'Époux. Mais du fait que les biens de la Loi, que l'on croyait les plus élevés, ont été éclipsés par l'éclat de sa présence, on doit dire à bon droit : *l'odeur de tes parfums d'onction surpasse tous les aromates.*

15. Mais ce que nous avons dit de toute l'Église dans son ensemble, entendons-le maintenant de chaque âme[30] en particulier. Représentons-nous une âme fixée dans la recherche des dons et recevant l'intelligence grâce à la prédication extérieure : elle désire être éclairée elle aussi de la grâce divine pour comprendre un jour également par elle-même : or, elle constate qu'elle ne comprend rien sans l'intermédiaire de la parole des prédicateurs ; et c'est à son tour de dire : QU'IL ME BAISE DU BAISER DE SA BOUCHE. Qu'il me touche lui-même intérieurement pour que je le connaisse par l'intelligence, et que je me délecte non plus de la voix des prédicateurs, mais du toucher de sa grâce intérieure. C'est en quelque sorte du baiser de sa bouche que le Seigneur donnait un baiser à Moïse quand il lui livrait la connaissance, en lui donnant le gage d'une grâce familière. Aussi est-il écrit : « S'il se trouve

1, 1

et non sicut famulo meo Moysi : os enim ad os loquor ei[l].
15 Os quippe ad os loqui quasi osculari est et interna intellegentia mentem tangere.

I, 1 **16.** Sequitur : QVIA MELIORA SVNT VBERA TVA VINO. Vbera
dei sunt, sicut prius diximus, humillimae praedicationes
incarnationis eius. Sapientia autem saeculi quasi quoddam
uinum est : debriat enim mentem, quia ab intellectu humili-
5 tatis alienam reddit. Quasi quodam uino debriantur philo-
sophi, dum per saecularem sapientiam uulgi morem transeunt. Quam sapientiam sancta ecclesia despiciat,
humillimam praedicationis dominicae incarnationem appetat : plus ei sapiat, quod per infirmitatem carnis eius nutri-
10 tur, quam quod mundus hic per elationem falsae prudentiae
extollitur ; et dicat : *Quia meliora sunt ubera tua uino.* Id
est : « Humillima incarnationis tuae praedicatio elatam
mundi sapientiam superat ». Vnde scriptum est : *Quod infir-
mum est dei, fortius est quam hominis : et, quod stultum est*
15 *dei, sapientius est quam hominis*[m].

17. Sed, quia ipsi huius saeculi sapientes nonnumquam
uidentur quibusdam uirtutibus studere (uideas enim ple-
rosque habere caritatem, seruare mansuetudinem, honesta-
tem exteriorem in omnibus exercere : quas tamen uirtutes,
5 non ut deo, sed ut hominibus placeant, exhibent : quae
idcirco uirtutes non sunt, quia deo placere non appetunt),

l. Nombr. 12, 6-8   m. I Cor. 1, 25

---

31. L'expression *sicut prius diximus* peut commander, comme le suggère P. MEYVAERT, *humillimae praedicationes incarnationis eius*. Cf. loc.
cit., p. 217. Le mot *praedicationes* non retenu par l'éditeur du *CC*, est ici
nécessaire. De même, trois lignes plus loin, il faudrait : *humillimam praedicationem dominicae incarnationis.* Cf., à la fin du § : « *Humillima incarnationis tuae praedicatio* ».

32. Ce terme que l'on peut traduire par *vanité, enflure, orgueil, jactance*
est d'usage habituel chez Grégoire. Cf. *Mor.*, 1, 47 (*CCL* 143, p. 50) ; *In I
Reg.*, 4, 25 (*CCL* 144, p. 308). Nous insistons sur l'idée de hauteur pour
marquer l'opposition avec les différentes formes de l'adjectif *humilis*.

un prophète, c'est dans un songe que je lui parlerai et non comme à mon serviteur Moïse ; c'est en effet de bouche à bouche que je lui parle[l]. » A la vérité, parler de bouche à bouche revient en quelque sorte à baiser et à toucher l'âme par l'intelligence intérieure.

1, 1   **16.** Vient ensuite : TES SEINS SONT MEILLEURS QUE LE VIN. Les seins de Dieu appartiennent, comme nous l'avons déjà dit, à la prédication[31] toute humble de son Incarnation. Or la sagesse du monde est en quelque sorte un vin : elle enivre en effet l'âme, puisqu'elle la rend étrangère à l'intelligence de l'humilité. C'est d'une sorte de vin que s'enivrent les philosophes quand, forts de la sagesse du monde, ils surpassent la morale commune. Ce genre de sagesse, que l'Église sainte la regarde de haut, qu'elle aspire à la prédication toute humble de l'Incarnation du Seigneur ; qu'elle prenne goût plutôt à ce dont elle est nourrie à travers la faiblesse de sa chair qu'à ce dont le monde présent s'enorgueillit à travers la vanité hautaine[32] d'une fausse sagesse ; qu'elle dise : *Tes seins sont meilleurs que le vin* ! Autrement dit : La prédication toute humble de ton Incarnation l'emporte sur la sagesse hautaine du monde. Aussi est-il écrit : « Ce qui est faiblesse de Dieu est plus fort que l'homme ; et ce qui est folie de Dieu est plus sage que l'homme[m] ».

17. Pourtant, parce que même les sages de ce monde semblent parfois s'appliquer à certaines vertus — tu constateras en effet que la plupart vivent la charité, font preuve de bonté, pratiquent à l'égard de tous l'honnêteté extérieure ; ces vertus cependant, ce n'est pas pour plaire à Dieu mais aux hommes qu'ils les affichent : ce ne sont donc pas des vertus, puisqu'ils n'aspirent pas à plaire à Dieu —, cela

olet tamen in humanis naribus, dum humano iudicio bonam
opinionem reddunt. Sed conparentur haec uero odori
redemptoris nostri, conparentur ueris ueris uirtutibus ; et
dicatur : Odor vngventorvm tvorvm svper omnia aromata. Id est : « Flagrantia uirtutum tuarum omnem speciem
uirtutum sapientium mundi superat, quia uidelicet fictas
eorum imagines ex ueritate transcendit ».

I, 2 10

18. Quia secundo loco sentiri hoc, quod dictum est, de
unaquaque anima diximus, adhuc eundem sensum, si possumus, adiuuante domino subtilius exequamur. Omnis anima,
quae timet deum, iam sub iugo eius est, sed adhuc longe,
5 quia timet : nam tantum quisque ad deum proficit, quantum
poenam timoris amittit et gratiam de illo caritatis percipit.
Ponamus ante oculos animam electi cuiuslibet, quae conti-
nuo desiderio in amorem uisionis sponsi accenditur : quia,
quod in hac uita perfecte percipere non ualet, contemplatur
10 eius celsitudinem et ex ipso amore conpungitur. Ipsa enim
conpunctio, quae per caritatem fit, quae ex desiderio accenditur, quasi quoddam osculum est : totiens enim anima osculatur deum, quotiens in eius amore conpungitur. Sunt enim
multi, qui iam quidem dominum metuunt, iam bonam opera-
15 tionem recipiunt ; sed necdum osculantur, quia amore eius
minime conpunguntur. Quod bene in conuiuio pharisaei
signatum est, qui, cum dominum recepisset cumque oscu-
lanti mulieri pedes eius in corde suo derogaret, audiuit :
Intraui in domum tuam, osculum mihi non dedisti : haec

---

33. On aura remarqué que *ueris* se retrouve deux fois dans le texte
latin. Il est difficile de savoir si cette répétition est intensive ou si elle est
due à une corruption du texte.

34. L'expression *ficta imago* nous semble désigner ici des apparences à
caractère idolâtrique, des contrefaçons des vertus divines.

35. L'importance que revêt ce terme dans l'œuvre de Grégoire et la
complexité de ses multiples emplois ont donné lieu à des études
excellentes. Cf. J. Pegon, article « Componction », dans *DS*, t. 2,
col. 1315-1316 ; G. Morin, *L'idéal monastique et la vie chrétienne des
premiers jours*, Paris-Maredsous 1921³, p. 15-20 ; R. Gillet, *Grégoire*

flatte l'odorat humain parce qu'au jugement humain ces vertus confèrent en retour une bonne renommée. Mais qu'on les
compare au parfum véritable de notre Rédempteur, qu'on les
compare aux véritables et authentiques[33] vertus, il faut dire
alors : L'ODEUR DE TES PARFUMS D'ONCTION SURPASSE TOUS
1, 2   LES AROMATES. Autrement dit : L'arôme de tes vertus l'emporte sur toute espèce de vertus des sages de ce monde, parce
que précisément il dépasse en vérité leurs représentations
factices[34].

18. Puisque nous avons dit qu'en second lieu, ce qui a été
énoncé pouvait s'entendre de toute âme, poursuivons cette
interprétation plus en détail avec l'aide du Seigneur. Toute
âme qui craint Dieu se trouve déjà sous son joug, mais
encore de loin, puisqu'elle craint : car on ne s'approche de
Dieu que dans la mesure où on est libéré du tourment de la
crainte et où on reçoit de lui la grâce de la charité. Représentons-nous l'âme de quelque élu enflammée d'un désir perma-
nent pour l'amour de la vision de l'Époux ; ce qu'il ne peut
saisir pleinement en cette vie, il en contemple l'excellence et il
est touché des traits poignants de son amour. Or cette
componction[35] qui est le fruit de la charité, qui est enflammée
de désir, est en quelque sorte un baiser : toutes les fois qu'en
effet l'âme donne un baiser à Dieu, elle est touchée des traits
poignants de son amour. Nombreux en effet sont ceux qui
déjà, certes, craignent le Seigneur et reçoivent déjà la grâce
des bonnes œuvres ; mais ils ne lui donnent pas encore un
baiser, parce qu'ils ne sont nullement touchés des traits
poignants de son amour. Cela est bien figuré au cours du
banquet du pharisien qui, après avoir accueilli le Seigneur,
réprouvant en son cœur la femme qui lui baisait les pieds
s'entendit dire : « Je suis entré dans ta maison, tu ne m'as pas

le Grand. Morales sur Job, Liv. 1 et 2 (SC 32 bis) Paris 1975, p. 72-81 ;
article « Saint Grégoire le Grand », dans DS, t. 6, col. 893-895.

20 *autem, ex quo ingressa est, non cessauit osculari pedes*
meos[n]. Omnis, qui iam elemosinas facit, qui iam bonis operibus studet, quasi Christum in conuiuium recipit : Christum
pascit, qui eum in membris suis sustentare non desinit. Sed,
si nondum per amorem conpungitur , adhuc eius uestigia
25 non osculatur. Praeponitur ergo pastori mulier, quae osculatur : quia praeponitur exteriora sua danti is, qui in interno
mentis ardore in desiderio domini conpungitur. Bene autem
dictum est : *Non cessauit osculari pedes meos*[o]. Non enim
sufficit in amorem dei semel conpungi et quiescere, sed et
30 conpunctio esse debet et crebrescere. Vnde mulier ideo lau-
datur, quia osculari non desistit, id est conpungi minime
cessauit. Vnde et per prophetam dicitur : *Constituite diem*
sollemnem in confrequentationibus usque ad cornu altaris[p].
Dies sollemnis est domino conpunctio cordis nostri. Sed
35 tunc in frequentatione dies sollemnis constituitur, cum ad
lacrimas prae amore eius assidue mens mouetur. Cui uelut si
diceremus : « Quandiu ista acturi sumus ? Quandiu tribulatio-
nibus afficimur ? », illico terminum, quousque fieri debeat,
subiunxit dicens : *Vsque ad cornu altaris*[q]. Cornu quippe
40 altaris est exaltatio sacrificii interioris : ubi cum peruenerimus, iam nequaquam necesse est, ut sollemnem diem
domino de nostra lamentatione faciamus. Anima ergo, quae
iam per amorem conpungi desiderat, quae iam contemplari
I,1 uisionem sponsi sui appetit, dicat : Osculetur me osculo
45 oris sui.

. Lc 7, 44-45   o. *Ibid.*, 45   p. Ps. 117, 27   q. *Ibid.*

35 bis. Plusieurs manuscrits proposent la leçon *sua danti* au lieu de
suadenti. On retrouve ainsi, mieux décrit, le rôle du *pastor*.

donné de baiser ; elle, au contraire, n'a pas cessé depuis son entrée de me baiser les pieds[n]. » Quiconque fait déjà l'aumône et se consacre déjà aux bonnes œuvres, accueille en quelque sorte le Christ à un banquet : c'est le Christ qu'il nourrit, puisqu'il ne cesse de le secourir dans ses membres. Mais s'il n'est pas encore touché des traits poignants de l'amour, il ne baise pas encore la trace de ses pas. Elle l'emporte donc sur celui qui offre la nourriture, la femme qui donne les baisers, parce que l'emporte sur celui qui donne ses biens[35bis] extérieurs celui qui, dans le feu intérieur de l'âme, est touché de traits poignants, dans le désir du Seigneur. Or, c'est bien à-propos qu'il est dit : « Elle n'a pas cessé de me baiser les pieds[o]. » Il ne suffit pas en effet de sentir une fois les traits poignants de l'amour de Dieu et de se reposer, mais la componction doit exister puis s'accroître. Aussi la femme est-elle louée de ce qu'elle n'arrête pas de donner des baisers, autrement dit, de ce qu'elle n'a pas cessé de ressentir des traits poignants. Aussi, est-il dit également par la bouche du prophète : « Instituez un jour solennel pour les foules assemblées jusqu'à la corne de l'autel[p]. » Le jour solennel pour le Seigneur, c'est la componction de notre cœur. Mais on ne peut instituer un jour solennel avec une nombreuse assemblée que si l'âme est constamment émue jusqu'aux larmes par amour pour lui. Et comme si nous lui disions : Combien de temps vivrons-nous ces épreuves ? combien de temps allons-nous endurer les tribulations ? il a aussitôt indiqué le terme jusqu'auquel cela durerait : « Jusqu'à la corne de l'autel[q]. » En vérité, la corne de l'autel, c'est la glorification du sacrifice intérieur : quand nous y serons parvenus, il ne sera plus du tout nécessaire d'offrir au Seigneur un jour solennel fait de notre lamentation. En conséquence, l'âme qui désire à présent être touchée des traits poignants de l'amour et qui aspire à contempler désormais la

1, 1 vision de son Époux, doit dire : QU'IL ME BAISE DU BAISER DE SA BOUCHE.

19. Vel certe osculum oris eius est ipsa perfectio pacis
internae : ad quam cum peruenerimus, nihil remanebit

I, 1 amplius, quod quaeramus. Vnde et apte subiungitur : QVIA
MELIORA SVNT VBERA TVA VINO. Vinum enim est scientia
5 dei, quam in ista uita positi accepimus. Vbera autem sponsi
tunc amplectimur, cum eum in aeterna patria iam per
amplexum praesentiae contemplamur. Dicat ergo : *Meliora
sunt ubera tua uino.* Ac si dicat : « Magna est quidem scientia, quam de te mihi in hac uita contulisti ; magnum est
10 uinum notitiae tuae, quo me debrias ; sed ubera tua uino
meliora sunt : quia tunc per speciem et per sublimitatem
contemplationis transcenditur, quidquid de te modo per
fidem scitur ».

I, 2   **20.** ET ODOR VNGVENTORVM TVORVM SVPER OMNIA ARO-
MATA. Habet hic sancta ecclesia aromata, dum uirtute scientiae, uirtute castitatis, uirtute misericordiae, uirtute humilitatis, uirtute caritatis pollet. Si sanctorum uita odorem
5 aromatum ex uirtutibus non haberet, Paulus non diceret :
Christi bonus odor sumus in omni loco[r]. Sed longe excellentior est illa unctio contemplationis dei, ad quam quandoque
ducendi sumus ; longe excellentior est odor unguentorum dei
aromatibus uirtutum nostrarum : et, si iam magna sunt,
10 quae accepimus, ualde tamen potiora sunt, quae de contemplatione creatoris nostri accepturi sumus. Vnde anhelet
anima et dicat : *Odor unguentorum tuorum super omnia
aromata.* Id est : « Illa bona, quae per contemplationem
tuam praeparas, ista omnia uirtutum munera, quae in hac
15 uita tribuisti, transcendunt ».

r. II Cor. 2, 15

19. Ou encore, le baiser de sa bouche, c'est la plénitude même de la paix intérieure : lorsque nous y serons parvenus, il ne nous restera plus rien à chercher. Aussi est-ce avec

1, 1, à-propos que le texte poursuit : TES SEINS SONT MEILLEURS QUE LE VIN. Le vin en effet, c'est la science de Dieu, que nous avons reçue tandis que nous sommes en cette vie. Quant aux seins de l'Époux, nous ne les embrassons qu'au moment où, dans la patrie éternelle, nous le contemplons en embrassant sa présence. Que l'âme dise donc : *Tes seins sont meilleurs que le vin.* C'est comme si elle disait : Grande, certes, est la science que tu m'as donnée de toi en cette vie ; grand est le vin de ta connaissance dont tu m'enivres ; mais tes seins sont meilleurs que le vin : parce qu'alors on dépasse par la vision et par la sublimité de la contemplation tout ce que maintenant l'on sait de toi par la foi.

1, 2   **20.** ET L'ODEUR DE TES PARFUMS D'ONCTION SURPASSE TOUS LES AROMATES. L'Église sainte possède ici-bas des aromates, en étant riche de la vertu de science, de la vertu de chasteté, de la vertu de miséricorde, de la vertu d'humilité, de la vertu de charité. Si la vie des saints n'exhalait pas l'odeur des aromates issue de leurs vertus, Paul ne dirait pas : « Nous sommes la bonne odeur du Christ en tous lieux[r]. » Mais de loin plus exquise est cette onction parfumée de la contemplation de Dieu à laquelle nous devons un jour être conduits ; de loin plus exquise que les aromates de nos vertus est l'odeur des parfums d'onction de Dieu ; et s'ils sont déjà grands, les dons que nous avons reçus, combien supérieurs sont ceux que nous devons recevoir de la contemplation de notre Créateur. Aussi, que l'âme soupire et dise : *L'odeur de tes parfums d'onction surpasse tous les aromates.* Autrement dit : Ces biens-là, que tu nous réserves dans ta contemplation, surpassent tous ces dons des vertus que tu nous as octroyés en cette vie.

21. Dicamus huic ecclesiae, dicamus huic animae, sic amanti, sic aestuanti in amorem sponsi sui, unde tantum desiderium perceperit, unde notitiam diuinitatis eius appre-

I, 2   henderit. Sed ecce, unde ipsa exprimit et dicit : VNGVENTVM
5   EFFVSVM NOMEN TVVM. Vnguentum effusum est diuinitas incarnata. Si enim sit unguentum in uasculo, odorem exterius minus ; si uero effunditur, odor effusi unguenti dilatatur. Nomen ergo dei unguentum effusum est : quia ab inmensitate diuinitatis suae ad naturam nostram se exterius fudit et,
10   ab eo quod est inuisibilis, se uisibilem reddidit. Si enim non se effunderet, nequaquam nobis innotesceret. Effudit se unguentum, cum se et deum seruauit et homo exhibuit. De qua effusione Paulus dicit : *Qui, cum in forma dei esset, non rapinam arbitratus est esse se aequalem deo ; sed semet-*
15   *ipsum exinaniuit, formam serui accipiens*[s]. Quod Paulus dixit « exinaniuit », hoc Salomon dixit « effudit ». Quia ergo humano generi dominus per humilitatem incarnationis innotuit, dicatur ei : *Vnguentum effusum est nomen tuum.*

I, 2   **22.** Sequitur : IDEO ADVLESCENTVLAE DILEXERVNT TE. Quid hoc loco adulescentulas accipimus, nisi electorum animas per baptismum renouatas ? Vita quippe peccati ad ueterem hominem pertinet, uita iustitiae ad nouum. Quia ergo
5   unguentum foras se fudit, in amore suo adulescentulas ardentes fecit : quia renouatas animas desiderio suo flagrantes exhibuit. Puerilis aetas amori necdum congruit, senilis ab amore desinit. Puer est, qui uitae ardentis studium necdum coepit ; senis est, qui coeperat quidem, sed desiit. Quia ergo

s. Phil. 2, 6-7

---

35 ter. Grégoire a du être guidé, dans le rapprochement qu'il établit entre le texte du *Cantique* et celui de Paul, par le texte qu'il lisait dans le Commentaire d'Origène où le terme *exinanitum* remplace celui d'*effusum*.

36. Cette interprétation est rigoureusement la même qu'en *Mor.* 24, 8 (*PL* 76, 291 AB).

21. Disons à cette Église, disons à cette âme si aimante, si brûlante d'amour pour son Époux, d'où lui est venu un pareil désir, d'où elle a acquis la connaissance de sa divinité. Mais voici qu'elle en exprime elle-même la provenance en disant :

1, 2 TON NOM EST UN PARFUM D'ONCTION RÉPANDU. Le parfum d'onction répandu, c'est la divinité incarnée. En effet, si un parfum se trouve dans un flacon, il dégage moins d'odeur à l'extérieur ; mais s'il se répand, l'odeur du parfum répandu se propage. Le nom de Dieu est donc un parfum d'onction répandu : parce que, de l'immensité de sa divinité, il s'est épanché à l'extérieur jusqu'à notre nature, et d'invisible qu'il est, il s'est rendu visible. En effet, s'il ne se répandait pas, nous n'aurions aucun moyen de le connaître. Il s'est répandu comme un parfum d'onction quand, tout en subsistant comme Dieu, il s'est manifesté comme homme. Paul dit au sujet de cette effusion : « Lui, qui était de condition divine, ne tint pas pour usurpé de s'égaler à Dieu ; mais il se vida de lui-même, prenant la condition d'esclave[s]. » Ce que Paul a voulu dire par « il se vida », c'est ce que Salomon a voulu dire par « il se répandit[35ter] ». Donc, puisque le Seigneur s'est fait connaître au genre humain par l'abaissement de l'Incarnation, disons-lui : *Ton nom est un parfum d'onction répandu.*

1, 2 **22.** Vient ensuite : C'EST POURQUOI LES JEUNES FILLES T'ONT AIMÉ. Que devons-nous entendre ici par les jeunes filles, sinon les âmes des élus renouvelées par le baptême[36] ? A la vérité, la vie du péché relève du vieil homme, et la vie de justice de l'homme nouveau. Ainsi, puisqu'il s'est répandu au-dehors comme un parfum d'onction, il a rendu les jeunes filles ardentes de son amour : parce qu'en les renouvelant, il a rendu les âmes brûlantes de désir pour lui. L'âge de l'enfance est encore inapte à l'amour, la vieillesse l'a délaissé. C'est un enfant, celui qui ne s'est pas encore engagé dans la flamme de la vie amoureuse ; c'est un vieillard, celui qui s'y était engagé, mais qui l'a délaissée. Donc, puisque ni ceux qui

10 neque hi flagrant in domino qui necdum coeperunt, neque hi
qui iam quidem coeperant sed friguerunt, postposita puerili
uel senili uita, adulescentulae currere dicuntur, id est illae
animae quae in ipso feruoris amore sunt.

23. Quod tamen intellegere aliter possumus. Potest enim
adulescentia ad infirmitatem referri. Iuueniles quippe aetates
sunt ordo angelorum, qui nulla debilitate uicti sunt, nulla
infirmitate superati. Dicatur ergo : *Vnguentum effusum est*
5 *nomen tuum : ideo adulescentulae dilexerunt te.* Id est :
« Quia per incarnationem tuam notitiam tuam exterius effu-
disti, idcirco infirmae animae natura humana diligere
praeualent. Illae quippe uirtutes summae quasi aetates iuue-
nales etiam ibi te diligunt, ubi fusus non es : quia et ibi te
10 uident, ubi in statu diuinitatis tuae contines. Qui ergo ab illis
summis ordinibus quasi a iuuenalibus aetatibus etiam non
fusus uideris, exterius propter homines funderis : ut etiam ab
adulescentulis, id est ab infirmis mentibus, diligaris ».

I, 3   **24.** Sequitur : TRAHE ME. Omnis, qui trahitur, aut non
ualens aut non uolens inuitus ducitur. Sed, qui dicit : *Trahe*
me, habet aliquid quod uult, habet aliquid quod non ualet.
Natura humana sequi deum uult ; sed, infirmitatis consuetu-
5 dine superata, sicut debet, sequi non praeualet. Videt ergo
aliud in se esse quo tendit, aliud in se esse quod non ualet :
et recte dicit : *Trahe me.* Quasi uolentem nec ualentem se
uiderat Paulus, cum diceret : *Mente seruio legi dei, carne*

---

37. Dans le contexte présent, on s'attendait davantage à l'expression *in*
ipso amoris feruore telle qu'elle est utilisée antérieurement par Grégoire à
la dernière ligne du § 10. C'est l'un des cas où la main de Claude ou celle
d'un copiste a pu laisser sa marque.

n'ont pas encore commencé, ni ceux qui ont bien commencé mais se sont refroidis, ne brûlent pour le Seigneur, le texte, laissant de côté la vie de l'enfant et celle du vieillard, parle des jeunes filles qui courent, c'est-à-dire des âmes qui se trouvent dans l'ardeur même de l'amour[37].

23. Nous pouvons cependant comprendre cela en un autre sens. On peut en effet comparer l'adolescence à l'infirmité. Les âges de la jeunesse, à la vérité, représentent l'ordre des anges dont ne triomphe aucune faiblesse, que n'opprime aucune infirmité. Disons donc : *Ton nom est un parfum d'onction répandu : c'est pourquoi les jeunes filles t'ont aimé.* C'est-à-dire : Parce que, du fait de ton Incarnation, tu as répandu ta connaissance à l'extérieur, les âmes infirmes, en la nature humaine, sont ainsi en mesure de t'aimer. Car pour ces vertus célestes comparables aux âges de la jeunesse, elles t'aiment là même où tu ne t'es pas répandu, puisqu'elles te voient là même où tu te contiens dans la condition de ta divinité. Toi donc qui, même sans te répandre, te laisses voir à ces ordres éminents comparables aux âges de la jeunesse, tu te répands à l'extérieur au profit des hommes : ainsi même les jeunes filles — entendons les âmes infirmes — peuvent t'aimer.

1, 3   L'ÉPOUSE   **24.** Vient ensuite : ENTRAÎ-
NE-MOI. Quiconque est entraîné se voit emmener soit en raison de son incapacité soit contre son vouloir. Mais celui qui dit : *Entraîne-moi* porte en lui un vouloir et en même temps une incapacité. La nature humaine veut marcher à la suite de Dieu ; pourtant, vaincue par l'habitude de sa faiblesse, elle est incapable de marcher à sa suite comme elle le doit. Elle voit donc en elle-même d'une part un but vers où elle tend, et d'autre part une incapacité qui la retient ; et c'est avec raison qu'elle dit : *Entraîne-moi.* C'est en quelque sorte partagé entre le vouloir et l'incapacité que se voyait Paul quand il disait : « Par l'âme je sers la loi

autem legi peccati[t] *; et : Video aliam legem in membris meis,*
10 *repugnantem legi mentis meae*[u]. Quia ergo est in nobis aliud
quod nos incitat, aliud quod grauat, dicamus : *Trahe me.*

I, 3   **25.** POST TE CVRREMVS IN ODOREM VNGVENTORVM
TVORVM. In odorem unguentorum dei currimus, cum donis
eius spiritalibus afflati in amore uisionis eius inhiamus.
Sciendum uero est, quia in eo, quod homines deum sequun-
5 tur, aliquando ambulant, aliquando currunt, aliquando forti-
ter currunt. Quasi post deum ambulat, qui tepide sequitur :
currit, qui feruenter sequitur ; perfecte currit, qui perseue-
ranter sequitur. Inmobile enim erat cor ad sequendum deum
et post eum ambulare nolebat, cum aduentus domini in mun-
10 do apparuit et ab insensibili sua statione humanas mentes
mouit. Vnde scriptum est : *Pedes eius steterunt, et mota est*
terra[v]. Hic autem non « motus » sed « cursus » dicitur : quia
non sufficit, ut sequamur, nisi etiam desiderando curramus.
Quia uero neque currere sufficit, nisi etiam perfecte curratur,
15 Paulus dicit : *Sic currite, ut conprehendatis*[w]. Et nonnulli,
dum nimis currunt, in indiscretione dilabuntur : plus enim,
quam necesse est, sapiunt et se iam ei, quem sequebantur,
praeferunt, dum suas uirtutes eligunt et eius, quem sequebantur, iudicia postponunt. Vnde bene, cum diceretur « cur-
20 rimus », praemissum est « post te ». Post deum enim currunt,
qui eius iudicia considerant, eius uoluntatem sibi praeferunt

---

t. Rom. 7, 25   u. Rom. 7, 23   v. Hab. 3, 5-6 *sec.* LXX   w. I Cor. 9,
24

---

38. Comme Origène dans ses Homélies (*SC* 37, p. 69), Grégoire
emploie ici le futur. Plus bas, il reviendra au présent.

39. On trouve clairement exprimée ici la préférence de Grégoire pour
une morale d'imitation de Dieu dans le Christ par rapport à une pure

de Dieu, et par la chair la loi du péché[t] » ; et : « J'aperçois
une autre loi dans mes membres qui lutte contre la loi de
mon âme[u]. » Ainsi, puisqu'il y a en nous un élan qui nous
soulève en même temps qu'un poids qui nous alourdit,
disons : *Entraîne-moi.*

1, 3   **25.** Derrière toi nous courrons[38] à l'odeur de tes
parfums d'onction. Nous courons à l'odeur des parfums de
Dieu lorsque, inspirés de ses dons spirituels, nous demeurons
pleins de désir dans l'attente amoureuse de sa vision. Mais
sachons que lorsque les hommes se mettent à la suite de
Dieu, tantôt ils marchent, tantôt ils courent, tantôt ils courent
à vive allure. Il marche en quelque sorte à la suite de Dieu,
celui qui le suit avec nonchalance ; il court, celui qui le suit
avec zèle ; et il court parfaitement, celui qui le suit jusqu'au
bout. En effet, le cœur (des hommes) était immobilisé dans sa
quête de Dieu et ne voulait pas marcher derrière lui, lorsque
la venue du Seigneur dans le monde s'est manifestée et arra-
cha l'âme humaine à son immobilité inconsciente. Aussi est-il
écrit : « Ses pieds s'arrêtèrent et la terre se mit en mouvement[v]. » Or ici, il n'est pas parlé de mouvement, mais de
course : car ce n'est pas assez de suivre, si de plus nous ne
courons pas de tout notre désir. Et puisque même de courir
ne suffit pas, si de plus on ne court pas en même temps à la
perfection, Paul dit : « Courez de manière à emporter[w]. » Plus
d'un, courant avec trop de précipitation, verse dans l'excès :
en effet, ils ont plus de sagesse qu'il n'en faut et se placent
dès lors en avant de celui qu'ils suivaient, en choisissant leurs
propres vertus et en laissant à l'arrière-plan les préceptes de
celui qu'ils suivaient. C'est pourquoi il est bon, quand on dit
« nous courons », de dire auparavant « derrière toi »[39]. C'est
derrière Dieu que courent ceux qui sont attentifs à ses

---

morale de vertus. Voir les très belles pages de Grégoire concernant « les
pas, les traces de Dieu » en *Mor.*, 10, 13 (*CCL* 143, p. 545-547).

et peruenire ad eum sub digna operatione discretionis contendunt. Hinc propheta, uoluntatem dei considerans et sequens, ait : *Adhesit anima mea post te*[x]. Hinc Petro consi-
25 lium danti dicitur : *Redi post me, Satanas ! Non enim sapis, quae dei sunt, sed quae hominum*[y]. Quia ergo perfectae animae summa cautela dei iudicia contuentur et neque per torporem neque per indiscretum feruorem praeuenire praesumunt, bene dicitur : *Post te currimus in odorem unguento-*
30 *rum tuorum.* Tunc enim « post te currimus », quando et amando sequimur et timendo diuina iudicia non praeuenimus.

I, 3   **26.** INTRODVXIT ME REX IN CVBICVLVM SVVM. EXVLTA-
BIMVS ET LAETABIMVR IN TE. Ecclesia dei quasi quaedam domus regis est. Et ista domus habet portam, habet ascensum, habet triclinium, habet cubicula. Omnis, qui intra
5 ecclesiam fidem habet, iam portam domus istius ingressus est : quia, sicut porta reliqua domus aperit, ita fides reliquarum uirtutum ostium habet. Omnis, qui intra ecclesiam spem habet, iam ad ascensum domus uenit : spes enim eleuat cor, ut sublimia appetat et ima deserat. Omnis, qui in ista domo
10 positus caritatem habet, quasi in tricliniis deambulat : lata enim est caritas, quae usque ad inimicorum dilectionem tenditur. Omnis, qui in ecclesia positus iam sublimia secreta rimatur, iam occulta iudicia considerat, quasi in cubiculum intrauit. De porta domus istius dicebat quidam : *Aperite*
15 *mihi portas iustitiae et ingressus in eas confitebor domino*[z].

---

x. Ps. 62, 9   y. Mc 8, 33 ; Cf. Matth. 16, 23   z. Ps. 117, 19

---

40. On doit préférer le génitif *discretionis*. Cf. J.H. WASZINK, *loc. cit.*, p. 73.

41. Pour la description que Grégoire donne ici de cette « maison royale » ou de l'Église à partir de la foi, de l'espérance et de la charité, voir aussi *Hom. in Ez.*, 2, 4, 13 (*CCL* 142, p. 268) ; 2, 5, 16 (p. 288).

préceptes, qui font passer sa volonté avant eux-mêmes et s'efforcent de le rejoindre dans le bon exercice du discernement[40]. Ainsi le prophète, attentif à la volonté de Dieu qu'il suit, dit : « Mon âme s'est attachée derrière toi[x]. » De même, Pierre qui donne des conseils se fait dire : « Passe derrière moi Satan ! Car tes pensées ne sont pas celles de Dieu, mais celles des hommes[y]. » Donc, puisque les âmes parfaites scrutent avec grand soin les préceptes de Dieu sans prétendre le devancer ni par paresse ni par un zèle excessif, c'est avec raison qu'il est dit : *Derrière toi nous courons à l'odeur de tes parfums d'onction.* En effet, c'est « derrière toi que nous courons » quand nous suivons dans l'amour, et quand dans la crainte nous nous gardons de devancer tes préceptes divins.

1, 3   L'Épouse   **26.** Le roi m'a introduite dans sa chambre. Nous exulterons et nous nous réjouirons en toi. L'Église de Dieu est en quelque sorte une maison royale[41]. Et cette maison a une porte, elle a un escalier, elle a une salle de banquet, elle a des chambres. Quiconque à l'intérieur de l'Église a la foi, a déjà franchi la porte de cette maison : car de même que la porte ouvre l'accès au reste de la maison, ainsi la foi ouvre la porte à toutes les autres vertus. Quiconque à l'intérieur de l'Église a l'espérance, est déjà arrivé à l'escalier de la maison : l'espérance en effet élève le cœur pour qu'il convoite les biens d'en-haut et délaisse ceux d'ici-bas. Quiconque vit dans cette maison et a la charité, marche en quelque sorte dans les salles de banquets : vaste en effet est la charité, elle qui s'étend jusqu'à l'amour des ennemis. Quiconque, vivant dans l'Église, approfondit déjà les mystères d'en-haut et étudie déjà les préceptes cachés, est pour ainsi dire entré dans la chambre. Quelqu'un disait de la porte de cette maison : « Ouvrez-moi les portes de justice et entré en elles je louerai le Seigneur[z]. » Il est dit des degrés d'escalier de l'espérance :

De ascensu spei dicebat : *Ascensus in corde eius disposuit*[a].
De tricliniis latis domus istius dicitur : *Latum mandatum
tuum nimis*[b]. In mandato lato specialiter caritas designatur.
De cubiculo regis loquebatur, qui dicebat : *Secretum meum
20 mihi*[c] *;* et alias : *Audiui archana uerba, quae non licet hominibus loqui*[d]. Primus ergo aditus domus istius porta fidei,
secundus prouectus ascensus spei, tertius latitudo caritatis,
quartus iam perfectio caritatis ad cognitionem secretorum
dei. Quia ergo sancta ecclesia in membris suis perfectis, in
25 sanctis doctoribus, in eis, qui iam pleni et radicati sunt in
mysteriis dei, quasi ad sublimia secreta peruenit et adhuc in
ista uita posita iam illa penetrat, *Introduxit me rex in cubiculum suum* ait. Per prophetas enim, per apostolos, per doctores, qui in ista uita positi iam sublimia secreta illius uitae
30 penetrabant, ecclesia in cubiculum regis illius ingressa
fuerat.

27. Et caute intuendum est, quia non dicit « in cubiculum
sponsi » sed « in cubiculum regis ». Nominando enim regem,
reuerentiam secretorum uult ostendere : quia, quanto potens
est cubiculum, tanto maior est reuerentia exhibenda in his,
5 ad quae intratur. Ne ergo, dum cognoscit secreta dei
unusquisque, dum occulta iudicia rimatur, dum ad sublimia
contemplationis adtollitur, extollatur et in superbia delaba-
tur, regis dicitur cubiculum intrare. Id est : cui tanto maior
reuerentia exhibenda est, quanto magis anima ad cognos-
10 cenda eius secreta ducitur : ut unusquisque, qui proficit, qui
iam exaltatus per gratiam et ad sublimia secreta peruenit, se

a. Ps. 83, 6   b. Ps. 118, 96   c. Is. 24, 16   d. II Cor. 12, 4

« il a posé des degrés dans mon cœur[a]. » Il est dit des vastes
salles de banquets de cette maison : « Combien vaste est ton
commandement[b]. » En évoquant un vaste commandement, on
désigne spécialement la charité. C'est de la chambre du roi
qu'il parlait, celui qui disait : « Mon secret est à moi[c] » ; et
ailleurs : « J'ai entendu des paroles mystérieuses qu'il n'est
pas permis aux hommes de proférer[d]. » La première entrée de
cette maison est donc la porte de la foi, la deuxième étape les
degrés d'escalier de l'espérance, la troisième le vaste espace
de la charité, la quatrième enfin, la plénitude de la charité
pour la connaissance des secrets de Dieu. Donc, puisque
l'Église sainte dans ses membres parfaits, dans les saints
docteurs, dans ceux qui sont déjà comblés et enracinés dans
les mystères de Dieu, parvient en quelque sorte aux secrets
d'en-haut et, demeurant encore en cette vie, les pénètre déjà,
elle dit : *Le roi m'a introduite dans sa chambre.* C'est en effet
par l'intermédiaire des prophètes, des apôtres, des docteurs
qui, demeurant en cette vie, pénétraient déjà les secrets élevés
de l'autre vie, que l'Église était déjà entrée dans la chambre
de ce roi.

27. Et remarquons bien qu'elle ne dit pas « dans la
chambre de l'Époux » mais « dans la chambre du roi ». Par ce
nom de roi en effet, elle veut manifester le respect dû à ces
secrets : car plus la chambre est noble, plus grand est le
respect que l'on doit témoigner à l'égard des réalités
auxquelles on est introduit. Ainsi, de crainte que quiconque
connaissant les secrets de Dieu, approfondissant ses
préceptes cachés, s'élevant vers les hauteurs de la contemplation, ne se hausse à l'excès et ne verse dans l'orgueil, il est dit
qu'il entre dans la chambre du roi. Autrement dit : le respect
à témoigner à quelqu'un est d'autant plus grand que l'âme est
amenée à connaître plus intimement ses secrets ; ainsi, que
celui qui progresse et, une fois élevé par la grâce, est parvenu
aux secrets d'en-haut, prenne garde à lui-même, et que du fait

ipsum adtendat et ex ipso profectu amplius humilietur. Vnde
et Hezechihel, quotiens ad sublimia contemplanda ducitur,
« filius hominis » uocatur[e], ac si ei dicatur : « Adtende, quod
15 es : et non extollaris de his, ad quae adtolleris. »

28. Sed paucorum est in ecclesia ista sublimia et occulta
iudicia dei rimari et conprehendere. Tamen, dum uidemus
fortes uiros posse ad tantam sapientiam peruenire, ut
contemplentur secreta dei in cordibus suis, et nos paruuli
5 habeamus fiduciam, quia quandoque ad ueniam, quandoque
ad eius gratiam ueniamus. Vnde et ex uerbis adulescentu-
larum subditur : *Exultabimus et laetabimur in te.* Dum
ecclesia in his, qui perfecti sunt, ingreditur cubiculum regis,
adulescentulae spem sibi exultationis promittunt : quia, dum
10 fortes ad sublimia contemplanda perueniunt, infirmi spem de
uenia peccatorum sumunt.

29. *Introduxit me rex in cubiculum suum. Exultabimus et*
I, 3 *laetabimur in te,* MEMORES VBERVM TVORVM SVPER VINVM.
RECTI DILIGVNT TE. Habet iste sponsus ubera, qui etiam rex
propter reuerentiam uocatur. Habet ubera, sanctos uiros
5 corde adherentes sibi. Vbera in arca pectoris fixa sunt : ex
interno nutrimento trahunt ad eos, quos foras nutriunt.
Sancti ergo uiri ubera sponsi sunt : quia ex intimis trahunt et
exterius nutriunt. Vbera illius sunt apostoli, ubera illius sunt
omnes praedicatores ecclesiae. Vinum, sicut et superius dixi-
10 mus, fuit in prophetis, uinum fuit in lege ; sed, quia ampliora

e. Cf. Éz., *passim*

42. J.H. WASZINK propose, avec raison nous semble-t-il, de maintenir, précédé d'une simple virgule, *ac si ei dicatur* dans la phrase précédente.
Cf. *loc. cit.*, p. 74.

43. La suite du texte nous incite à adopter la leçon *adherentes* de préférence à celle d'*adherentium*. Nous croyons ici encore à l'intervention de
Claude sur le texte de Grégoire, ou bien à l'erreur ou à l'initiative d'un
copiste.

même qu'il progresse, il reconnaisse davantage sa bassesse. C'est pourquoi aussi Ézéchiel est appelé « fils d'homme » chaque fois qu'il est amené à contempler les biens d'en-haut[e], comme si on lui disait[42] : Prends bien garde à ce que tu es, et ne te hausse pas à l'excès en raison de ces biens auxquels on t'élève.

28. Mais c'est le lot du petit nombre dans l'Église que d'approfondir et de comprendre ces préceptes élevés et mystérieux de Dieu. Pourtant, en voyant les hommes forts capables de parvenir à une sagesse si grande qu'ils contemplent les secrets de Dieu dans leur cœur, ayons confiance, nous aussi les petits, d'arriver un jour au pardon et ensuite à sa grâce. Aussi, c'est avec les paroles des jeunes filles que l'on poursuit : *Nous exulterons et nous nous réjouirons en toi.* Tandis que l'Église, en la personne de ceux qui sont parfaits, entre dans la chambre du roi, les jeunes filles se promettent l'espérance de la joie ; car, tandis que les forts parviennent à la contemplation des biens d'en-haut, les faibles prennent espoir du pardon de leurs péchés.

1, 3   **29.** *Le roi m'a introduite dans sa chambre. Nous exulterons et nous nous réjouirons en toi,* NOUS GARDERONS MÉMOIRE DE TES SEINS PLUS QUE DU VIN. CE SONT LES JUSTES QUI T'AIMENT. Il a des seins, cet Époux que par respect on appelle aussi roi. Il a des seins et ce sont les hommes saints qui lui sont attachés de cœur[43]. Les seins sont placés sur la cage thoracique : ils tirent une part de la nourriture qui est à l'intérieur et nourrissent ceux qui sont à l'extérieur. Les hommes saints sont donc les seins de l'Époux, parce qu'ils tirent des nourritures intérieures et nourrissent à l'extérieur. Ses seins, ce sont les apôtres ; ses seins, ce sont tous les prédicateurs de l'Église. Le vin, comme nous l'avons dit plus haut, était servi chez les prophètes, le vin était servi dans la Loi ; cependant, parce que les commandements transmis par

mandata data sunt per apostolos, quam data fuerant per prophetas, *Memores uberum tuorum super uinum* : quia, qui
ista possunt inplere, quae in nouo testamento mandata sunt,
illam scientiam legis sine dubio transcendunt.

30. Quod tamen intellegere et aliter possumus. *Memores
uberum tuorum super uinum.* Sunt multi, qui uinum quidem
sapientiae habent, sed cognitionem humilitatis non habent :
istos scientia inflat, quia caritas non aedificat[f]. Sunt
5 uero multi, qui sic habent uinum scientiae, ut sciant considerare dona doctrinae, dona spiritalis gratiae : dona enim spiritalis gratiae quasi quaedam mamillae sunt in pectore, quae
subtiliter occultis meatibus spiritalibus ministrant et
nutriunt. *Memores* ergo *uberum tuorum super uinum* : quia
10 hi, qui sectari sciunt dona gratiae tuae, ut sibi non tribuant
quod sapiunt, et de eadem sapientia quam acceperunt non
extolluntur, super illos, qui de sapientia sua extolluntur, et
efferuntur. Plus est enim humiliter sapere, quam sapere ;
neque enim uere sapere est, humiliter non sapere. *Memores*
15 ergo *uberum tuorum super uinum* : quia scientes considerare
dona spiritalis gratiae transcendunt eos, qui scientiam quidem habent, sed cognitionem in memoriam donorum non
habent. Aperte ergo dicere est : *Memores uberum tuorum
super uinum* : quia fortior est humilitas quam scientia.
20 Vinum enim est scientia, quae inebriat ; memoria uberum,
quae debriat, quae ad cognitionem donorum reuocat. *Memores* ergo *uberum tuorum super uinum* : quia uincit humilitas
abundantiam scientiae.

f. Cf. I Cor. 8, 1

44. Grégoire énonce clairement ici le principe du progrès de la révélation.

les apôtres sont plus grands que ceux que les prophètes
avaient transmis, *nous garderons mémoire de tes seins plus
que du vin*[44] : parce que ceux qui peuvent accomplir les commandements qui ont été promulgués dans le Nouveau Testament surpassent sans contredit la science ancienne de la Loi.

30. Cela, nous pouvons pourtant le comprendre autrement
encore. *Nous garderons mémoire de tes seins plus que du vin*.
Nombreux sont ceux qui sans doute possèdent le vin de la
sagesse, mais ne possèdent pas la connaissance de l'humilité :
ceux-là, la science les enfle, parce que ce n'est pas la charité
qui les édifie[f]. D'autre part, nombreux sont ceux qui
possèdent si bien le vin de la science qu'ils savent reconnaître
les dons de la doctrine, les dons de la grâce spirituelle, car les
dons de la grâce spirituelle sont comme des mamelles sur la
poitrine, qui pourvoient et nourrissent discrètement par de
secrètes veines spirituelles. Ainsi *nous garderons mémoire de
tes seins plus que du vin*, parce que ceux qui savent rechercher les dons de ta grâce sans s'attribuer à eux-mêmes le fait
d'être sages ni se hausser à l'excès en raison de cette sagesse
qu'ils ont reçue, sont supérieurs à ceux qui s'élèvent à l'excès
et se laissent emporter à cause de leur propre sagesse. En
effet, c'est être plus que sage que d'être sage dans l'humilité ;
de même, ce n'est pas être vraiment sage que d'être sage sans
l'humilité. *Nous garderons donc mémoire de tes seins plus
que du vin*, parce que ceux qui savent reconnaître les dons de
la grâce spirituelle dépassent ceux qui possèdent, certes, la
science, mais qui ne gardent pas en mémoire la connaissance
des dons. Ce qui est dit en clair : *Nous garderons mémoire de
tes seins plus que du vin*, parce que l'humilité est plus forte
que la science. C'est un vin en effet que la science, car elle
enivre ; c'est la mémoire des seins qui enivre entièrement, elle
qui rappelle à la connaissance des dons. *Nous garderons
donc mémoire de tes seins plus que du vin*, parce que l'humilité triomphe d'une science abondante.

31. *Recti diligunt te.* Ac si diceret : « Non recti adhuc
timent ». *Recti diligunt te.* Omnis enim, qui bona opera pro
timore agit, etsi in opere rectus est, in desiderio rectus non
est : uellet enim non esse, quod timeret, et opera bona non
5 faceret. Qui uero opera bona pro amore agit, et in opere et in
desiderio rectus est. Sed dulcedo amoris timentibus abscon-
ditur. Vnde scriptum est : *Quam magna multitudo dulcedinis
tuae, domine, quam abscondisti timentibus te, et perfecisti
eam sperantibus in te*[g] *!* Dulcedo enim dei timentibus deum
10 incognita est, amantibus fit nota. Qui ergo per amorem stu-
duerit rectus esse, perfecta dilectio illius est : ut iudicem
uenientem non timeat, ut, quidquid de aeternis suppliciis
audierit, non formidet. Vnde et Paulus, dum de aduentu iudicis spectaret, dum praemia uitae aeternae quaereret, dixit :
15 *Quae praeparauit deus non solum mihi, sed et omnibus qui
diligunt aduentum eius*[h]. Praemia enim aeterna diligentibus a
iudice praeparantur : quia omnis, qui se opera mala agere
scit, iudicem uenientem timet ; qui uero de operibus suis
praesumit, iudicis aduentum quaerit. Parantur ergo praemia
20 expectantibus aduentum dei et diligentibus aduentum eius :
quia non diligunt aduentum iudicis, nisi de causa sua
praesumentes. Omnis autem certitudo rectitudinis in dilec-
tione est, et ideo recte dicitur : *Recti diligunt te.*

I, 4-5   **32.** Nigra svm et formosa, filiae Hiervsalem, sicvt
tavernacvla Cedar, sicvt pellis Salomonis. Nolite me
considerare, qvod fvsca sim : qvia decoloravit me

---

g. Ps. 30, 20   h. II Tim. 4, 8

---

45. Les peaux de bêtes servaient à la fabrication de tentures après le
processus d'assouplissement et de tannage. Cette allégorie sert bien ici le
propos de Grégoire.

1, 3   31. *Ce sont les justes qui t'aiment.* On pourrait dire : Ceux qui ne sont pas justes craignent encore. *Ce sont les justes qui t'aiment.* Quiconque en effet fait le bien par crainte, encore que juste en acte, ne l'est pas en désir : il voudrait en effet qu'il n'y eût rien à craindre, et qu'il pût ne pas faire le bien. Et qui fait le bien par amour est juste à la fois en acte et en désir. Mais la douceur de l'amour est cachée à ceux qui craignent. Aussi est-il écrit : « Qu'elle est grande, Seigneur, l'étendue de ta douceur que tu as cachée à ceux qui te craignent, et tu l'as portée à son comble pour ceux qui espèrent en toi[g] ! » En effet, la douceur de Dieu est inconnue de ceux qui le craignent, elle se fait connaître à ceux qui aiment. Celui donc qui se sera appliqué par amour à être juste, celui-là a la perfection de l'amour : si bien qu'il ne craint pas la venue du juge et, quoi qu'il vienne à entendre des supplices éternels, il ne s'en effraie pas. C'est pourquoi Paul lui-même, attendant la venue du juge et recherchant les récompenses de la vie éternelle, a dit : « Celles que Dieu réserve non seulement à moi, mais aussi à tous ceux qui attendent sa venue avec amour[h]. » Le juge réserve en effet les récompenses éternelles à ceux qui aiment, parce que quiconque sait qu'il fait le mal craint la venue du juge, tandis que quiconque se conforte dans ses œuvres souhaite la venue du juge. Des récompenses sont donc réservées à ceux qui attendent la venue de Dieu et qui attendent sa venue avec amour, parce qu'on ne saurait attendre avec amour la venue du juge à moins d'être conforté dans sa propre cause. Or toute assurance de justice se fonde sur l'amour ; aussi est-ce justement que l'on dit : *Ce sont les justes qui t'aiment.*

1, 4-5   L'ÉPOUSE   **32.** JE SUIS NOIRE ET BELLE, FILLES DE JÉRUSALEM, COMME LES TENTES DE QÉDAR, COMME UNE PEAU[45] DE SALOMON. NE TENEZ PAS COMPTE DE MON TEINT BASANÉ, CAR C'EST LE

SOL. Scimus quia in primordiis ecclesiae, dum praedicata
5 fuisset gratia redemptoris nostri, alii crediderunt ex Iudaea,
alii non crediderunt ; sed hi, qui crediderunt, ab infidelibus
despecti sunt et persecutionem passi quasi in uia gentium discessisse iudicati sunt[i]. Vnde ecclesia in eisdem clamat aduersus eos, qui conuersi non sunt : *Nigra*
10 *sum, sed formosa, filiae Hierusalem.* « Nigra quidem uestro
iudicio, sed formosa per inlustrationem gratiae ». Quomodo
nigra ? *Sicut tabernacula Cedar.* Cedar interpretatur tenebrae : Cedar enim secundus fuit de genere Ismahel[j] ; et
Cedar tabernacula Esau fuerunt. Quomodo ergo nigra ?
15 *Sicut tabernacula Cedar :* quia in conspectu uestro ad similitudinem gentium iudicata sum, id est ad similitudinem peccatorum. Quomodo formosa ? *Sicut pellis Salomonis.* Fertur
Salomon, quando templum aedificauit, omnia illa uasa tem-
pli factis pellibus cooperuisse. Sed nimirum pelles Salomonis
20 decorae esse potuerunt, quae tabernaculo aptae essent.
Quae, si in tabernaculo eius fuerunt, nonnisi decorae esse
potuerunt in obsequium regis. Sed, quia Salomon interpretatur pacificus, nos ipsum uerum Salomonem intellegamus :
quia omnes animae adherentes deo pelles Salomonis sunt,
25 macerantes se ipsas et in obsequium regis pacis redigentes.
« Sum uero in iudicio uestro sicut tabernacula Cedar, quia
quasi in uia gentium discessisse iudicor ; sed iuxta ueritatem
sicut pelles Salomonis sum, quia in obsequium regis adhe-
reo ».

i. Cf. Matth. 10, 5   j. Cf. Gen. 25, 13

46. Cette idée de l'élection ou de la conversion qui rend « noire » est
affirmée ailleurs par Grégoire à partir du même verset du *Cantique.* Cf.
Mor., 18, 49 (*CCL* 143 A, p. 917-918).

47. Sans doute parce que, d'après *Gen.* 28, 9, Ésaü aurait épousé une
sœur de Qédar.

48. En aucun endroit, la Bible ne fait état de cette légende. Grégoire
peut tout simplement dépendre ici d'ORIGÈNE. Cf. *Hom. in Cant.,* 5
(*SC* 37, p. 73-74).

SOLEIL QUI A ALTÉRÉ MA COULEUR. Nous savons qu'aux origines de l'Église, au moment où venait d'être prêchée la grâce
de notre Rédempteur, il y en eut en Judée qui crurent et d'autres qui ne crurent pas ; mais ceux qui crurent furent regardés
de haut par les incrédules et, après avoir été persécutés, ils furent condamnés sous prétexte qu'ils étaient égarés « sur la
voie des païens[i] ». Aussi l'Église en leur personne lance-t-elle
ce cri contre ceux qui ne sont pas convertis : *Je suis noire,*
mais belle, filles de Jérusalem[46]. Je suis noire, certes, à votre
jugement, mais belle par l'illumination de la grâce. Comment,
noire ? *Comme les tentes de Qédar*. Qédar signifie les « ténèbres », Qédar était le second de la descendance d'Ismaël[j], et
les tentes de Qédar furent celles d'Ésaü[47]. Comment donc,
noire ? *Comme les tentes de Qédar,* parce qu'en votre présence j'ai été condamnée à la ressemblance des païens, c'est-à-
dire à la ressemblance des pécheurs. Comment, belle ?
Comme une peau de Salomon. On raconte que, lorsque Salomon fit construire le Temple, il fit recouvrir tous ces vases
précieux du Temple de peaux qu'on avait confectionnées[48].
Mais les peaux de Salomon ont dû sans doute être splendides
pour être dignes de sa tente. Car si elles étaient dans sa tente,
elles ne purent qu'être splendides pour le service du roi. Mais
parce que Salomon signifie « le pacifique », comprenons pour
notre part qu'il s'agit du véritable Salomon, car toutes les
âmes qui sont attachées à Dieu sont des peaux de Salomon,
se macérant[49] elles-mêmes et se réduisant au service du roi de
paix. Sans doute, je suis à votre jugement comme les tentes de
Qédar, parce que je suis accusée de m'être soi-disant égarée
sur la voie des païens ; mais à la vérité, je suis comme les
peaux de Salomon, parce que je suis attachée au service du
roi.

---

49. Nous employons ce terme calqué sur le latin pour maintenir la
force de l'image.

33. *Nolite me considerare, quod fusca sim : quia decolorauit me sol.* Peccatricem adtendebat illam partem, quae
Christo crediderat, pars illa, quae non crediderat. Sed dicat
ista : *Nolite me considerare, quod fusca sim : quia decolo-*
5 *rauit me sol.* « Sol, ipse dominus, ipse ueniens decolorauit
me ». Praeceptis suis ostendit, quia pulchra non fuit in praeceptis legis. Sol, quem arctius tangit, ipsum decolorat. Ita et
dominus ueniens, quem per gratiam suam strictius tetigit,
decolorauit : quia, dum plus appropinquamus ad gratiam,
10 plus nos peccatores esse cognoscimus. Videamus Paulum ex
Iudaea uenientem, in sole decoloratum : *Quod si uolentes in
Christo iustificari, inuenti sumus et ipsi peccatores*[k]. Qui se
in Christo peccatorem inuenit, in sole se decoloratum
inuenit.

34. Sed ecce, pars ista, quae ex Iudaea credidit, persecutionem ab infidelibus iudaeis passa est, afflicta multis tribu-
I, 5   lationibus pressa. Vnde sequitur : FILII MATRIS MEAE
PVGNAVERVNT CONTRA ME : quia filii synagogae, qui in
5 infidelitate remanserunt, bellum persecutionis contra synagogae fideles gesserunt.

35. Sed, dum persecutionem patitur ea pars, quae ex
iudaeis uenit ad fidem, discessit ad praedicationem gentium :
deseruit Iudaeam et uenit ad praedicationem gentium. Vnde
I, 5   et sequitur : POSVERVNT ME CVSTODEM IN VINEIS, VINEAM
5 MEAM NON CVSTODIVI : « quia, dum me persequuntur hi, qui
in Iudaea sunt, in ecclesiis me custodem fecerunt. *Vineam*

k. Gal. 2, 17

L'ÉPOUSE   **33.** *Ne tenez pas compte de*
mon teint basané : car c'est le
soleil qui a altéré ma couleur. Le groupe de ceux qui
n'avaient pas cru tenait pour pécheur le groupe de ceux qui
avaient cru au Christ. Mais que ceux-ci disent : *Ne tenez pas*
compte de mon teint basané, car c'est le soleil qui a altéré ma
couleur ! C'est le soleil, le Seigneur lui-même venant en personne, qui a altéré ma couleur. Il a démontré par ses préceptes qu'elle n'était pas belle sous les préceptes de la Loi. Le
soleil altère la couleur de celui qu'il atteint plus intensément.
De même, le Seigneur par sa venue a altéré la couleur de
celui qu'il a touché plus intimement de sa grâce, car plus
nous nous approchons de la grâce, plus nous nous reconnais-
sons pécheurs. Voyons Paul venant de la Judée et changé de
couleur sous le soleil : « Si nous recherchons notre justifica-
tion dans le Christ, nous nous découvrons nous-mêmes
pécheurs[k]. » Quiconque se découvre pécheur dans le Christ
constate que sa couleur a été altérée sous le soleil.

34. Mais voici que cette part de la Judée qui a cru, a souf-
fert persécution des Juifs incrédules, accablée sous le poids
de nombreuses tribulations. Aussi lit-on ensuite : LES FILS DE
MA MÈRE ONT COMBATTU CONTRE MOI, parce que les fils de la
synagogue, qui ont persisté dans l'incrédulité, menèrent une
guerre de persécution contre les croyants issus de la synagogue.

1, 5

35. Mais tandis qu'il souffrait persécution, le groupe venu
du monde juif à la foi sortit pour prêcher aux païens ; il quitta
la Judée et vint prêcher aux païens. C'est pourquoi vient ensuite : MA VIGNE À MOI, JE NE L'AI PAS GARDÉE. ILS M'ONT
ÉTABLIE GARDIENNE DANS LES VIGNES, parce que le peuple
juif en me persécutant, m'a constituée gardienne dans les
Églises. *Ma vigne à moi, je ne l'ai pas gardée*, parce que j'ai

1, 5

meam non custodiui : quia Iudaeam deserui ». Vnde et
Paulus dicit, unde et apostoli : *Nobis missum fuerat uerbum
dei ; sed, quia indignos uos iudicastis, ecce imus ad gentes*[1].
10 Ac si dicat : « Nos uineam nostram custodire uolumus ;
sed, quia nos ipsi respuitis, ad alienarum nos uinearum cus-
todiam transmittitis ».

36. Ista, quae de synagoga diximus ad fidem conuersa,
I, 4 dicamus modo de ecclesia ad fidem uocata : Nigra svm,
sed formosa, filiae Hiervsalem. Ecclesia ex gentibus
ueniens considerat fidelium animas, quas inuenit, quas et
5 filias Hierusalem uocat. Hierusalem quippe uisio pacis dicitur. Considerat quid fuit, quid facta est : et confitetur praete-
ritas culpas, ne superba sit, confitetur praesentem uitam, ne
ingrata ; et dicit : *Nigra sum, sed formosa.* Nigra per meri-
tum, formosa per gratiam ; nigra per uitam praeteritam, for-
10 mosa per conuersationem sequentem. Quomodo nigra ?
I, 4 Sicvt tabernacvla Cedar. Cedar tabernacula gentium
fuerunt, tabernacula tenebrarum fuerunt ; et gentibus dictum
est : *Fuistis aliquando tenebrae, nunc autem lux in domino*[m].
I, 4 Quomodo formosa ? Sicvt pellis Salomonis. Macerati
15 enim sumus per paenitentiam. Mortificata caro per paenitentiam quasi pellis in obsequium regis adducitur. Omnes per
paenitentiam se ipsos affligentes membra Christi se faciunt.
Membra ergo Christi per paenitentiam afflicta pellis Salomonis sunt, quia mortificata caro fiunt.

1. Cf. Act. 13, 26 et 46   m. Éphés. 5, 8

49 bis. La leçon *Nobis* (au lieu de *Vobis*) retenue par l'édition du
CCL, a de quoi surprendre. Elle paraît pourtant justifiée par l'explication
qui suit.

50. Les accusatifs *conuersam* et *uocatam* retenus ici par l'éditeur ne
peuvent se défendre grammaticalement ; nous nous trouvons en présence,

quitté la Judée. Aussi Paul dit-il, et les apôtres avec lui :
« C'est à nous[49bis] qu'avait été envoyée la Parole de Dieu ;
mais parce que vous ne vous en êtes pas jugés dignes, voici
que nous allons vers les païens[l]. » Autant dire : Quant à nous,
nous voulons garder notre vigne ; mais parce que vous-
mêmes nous rejetez, vous nous renvoyez à la garde des
vignes d'autrui.

36. Ce que nous venons de dire de la synagogue convertie
1, 4 à la foi, disons-le maintenant de l'Église appelée à la foi[50] : JE
SUIS NOIRE, MAIS BELLE, FILLES DE JÉRUSALEM. L'Église
venant du monde païen considère les âmes des fidèles qu'elle
découvre, et qu'elle appelle filles de Jérusalem. De fait,
Jérusalem veut dire « vision de paix ». Elle considère ce
qu'elle a été et ce qu'elle est devenue ; elle reconnaît ses
fautes passées pour se garder de l'orgueil ; elle reconnaît sa
vie actuelle pour se garder de l'ingratitude ; et elle dit : *Je
suis noire, mais belle.* « Noire » quant à mes mérites, « belle »
à cause de la grâce ; « noire » à cause de ma vie passée,
« belle » à cause de ma conduite ultérieure. Comment, noire ?
1, 4 COMME LES TENTES DE QÉDAR. Qédar, c'étaient les tentes
des païens, c'étaient les tentes des ténèbres ; et il fut dit aux
païens : « Autrefois vous avez été ténèbres, mais à présent,
1, 4 vous êtes lumière dans le Seigneur[m]. » Comment, belle ?
COMME UNE PEAU DE SALOMON. Car nous sommes macérés
dans la pénitence. Notre chair mortifiée par la pénitence est
apportée comme une peau pour le service du roi. Tous ceux
qui se tourmentent eux-mêmes par la pénitence se transfor-
ment en membres du Christ. Ainsi les membres du Christ
tourmentés par la pénitence sont une peau de Salomon, parce
qu'ils deviennent une chair morte.

---

soit d'une intervention de Claude sur le texte, soit d'une erreur perpétuée
par les copistes qui ont cru bon d'accorder les deux participes passés avec
fidem.

37. Sed ecce, erant in Iudaea fideles, qui dedignabantur ad fidem uenire gentiles. Vnde et Petrum redarguunt, quod Cornelium susceperat[n]. Vnde in ecclesia gentium subiungit :
I, 5 NOLITE ME CONSIDERARE, QVOD FVSCA SIM. « Nolite despi-
5 cere gentilitatem infidelitatis meae, nolite despicere peccata
I, 5 priora, nolite adtendere quod fui ». Quare ? QVIA DECOLO-
RAVIT ME SOL. Sol in eo decolorat, in quo arctius et distric-
tius se inprimit. Deus, quando districtum iudicium tenet,
quasi districtionem suam amplius exhibet ; et decolorat,
10 dum amplius fulget : quia, dum districtionem subtilius exer-
cet, districte adiudicat. Quasi enim radios suos suspendit
sol, quando clementer opera nostra considerat ; quasi districte uirtutem suam exhibeat, quando districte opera nostra
pensat. Dicat ergo ecclesia : « Inde sum fusca, inde pecca-
15 trix, quia me sol decolorauit : quia, creator meus dum me
deserit, ego in errore lapsa sum ».

38. Sed o tu, sic afflicta, sic destituta, quid meruisti ?
I, 5 Quid ex dono consecuta es ? FILII MATRIS MEAE PVGNA-
VERVNT CONTRA ME. Filii matris sunt apostoli : mater enim
omnium Hierusalem superna est[o]. Ipsi pugnauerunt contra
5 ecclesiam, dum ab infidelitate in fide praedicationibus suis
quasi quibusdam lanceis confoderunt. Vnde et Paulus quasi
quidam pugnator dicit : *Cogitationum consilia destruentes et
omnem altitudinem extollentem se aduersus scientiam dei*[p].
Quia altitudinem destruit, utique pugnator est. Isti ergo
10 pugnatores, isti filii matris Hierusalem debellauerunt eccle-

---

n. Cf. Act. 11, 2-3   o. Cf. Gal. 4, 26   p. II Cor. 10, 4-5

---

51. A partir d'ici, ce paragraphe est très difficile à traduire. Nous avons pensé maintenir la force du texte en rendant l'expression *iudicium tenet* par « exerce un jugement ».

37. Mais voici qu'il y avait en Judée des croyants qui s'indignaient à l'idée que des païens viennent à la foi. Aussi firent-ils grief à Pierre d'avoir accueilli Corneille[n]. C'est pourquoi il est dit ensuite, en la personne de l'Église des

1, 5 païens : NE TENEZ PAS COMPTE DE MON TEINT BASANÉ. Ne dédaignez pas mon incrédulité de païenne, ne regardez pas avec dédain mes péchés antérieurs, ne tenez plus compte de

1, 5 ce que j'ai été. Pourquoi ? PARCE QUE C'EST LE SOLEIL QUI A ALTÉRÉ MA COULEUR. Le soleil altère la couleur de celui qu'il pénètre plus profondément et avec plus de rigueur. Quand Dieu exerce un jugement rigoureux[51], c'est comme s'il montrait davantage sa rigueur ; et il altère notre couleur quand il brille davantage, car c'est quand sa rigueur s'exerce de façon plus pénétrante que son jugement est rigoureux. En effet, il ressemble au soleil retenant ses rayons quand il considère nos œuvres avec clémence ; mais c'est comme s'il montrait sa puissance avec toute sa rigueur quand il examine nos œuvres rigoureusement. Que l'Église dise donc : Si j'ai le teint basané, si je suis pécheresse, c'est que le soleil a altéré ma couleur, car tandis que mon Créateur m'avait abandonnée, moi j'ai glissé dans l'erreur.

38. Mais toi, si accablée, si dépouillée, qu'as-tu mérité ?

1, 5 Qu'as-tu gagné à ce don ? LES FILS DE MA MÈRE ONT COMBATTU CONTRE MOI. Les fils de la mère, ce sont les apôtres : la mère de tous en effet, c'est la Jérusalem d'en-haut[o]. Eux-mêmes ont combattu contre l'Église, lorsque pour l'amener de l'incroyance à la foi, ils l'ont pénétrée de leurs prédications comme avec des lances. Aussi, c'est Paul qui dit, à l'instar d'un combattant : « Nous détruisons les prétentions de la pensée et toute puissance altière s'élevant contre la connaissance de Dieu[p]. » Parce qu'il détruit la puissance altière, il est assurément un combattant. Ainsi, ces combattants, ces fils de la Jérusalem mère ont par les armes arraché

siam ab errore suo, ut illam fundarent ad iustitiam. *Filii
matris meae pugnauerunt contra me.* Et quid fecerunt
I, 5 pugnantes ? POSVERVNT ME CVSTODEM IN VINEIS. Vineae
ecclesiae sunt uirtutes, quae fructificant : quia, « dum depu-
15 gnant in me uitia, quasi de malis meis me expugnant. Fructificationem et uirtutum studia mihi dederunt : in uineis me
custodem fecerunt, ut fructificationem afferrent ». Post expu-
gnationem specialiter dicat : VINEAM MEAM NON CVSTODIVI.
Vinea ecclesiae antiqua consuetudo erroris est : quae, dum
20 custos ad uirtutes ponitur, deseruit uineam illam antiquam
consuetudinem erroris sui.

39. Diximus de synagoga ad fidem ueniente, diximus de
gentilitate conuersa ; dicamus modo generaliter de tota
simul ecclesia, et specialiter quid de unaquaque anima sen-
tiendum est. Solent praui auditores doctores suos non consi-
5 derare quod sunt, sed quod fuerunt ; sani uero doctores et
confitentur quod fuerunt, et proferunt quod sunt : ut nec peccatores se abscondant, nec iterum dona uelut ingrati dene-
I, 4 gent. Dicat ergo in istis ecclesia : NIGRA SVM, SED FOR-
MOSA. « Nigra per me, formosa per donum ; nigra de praete-
10 rito, formosa ex eo quod facta sum in futuris ». Quomodo
I, 4 nigra ? Quomodo formosa ? Nigra SICVT TABERNACVLA
CEDAR, formosa SICVT PELLIS SALOMONIS. Et non est ius-
tum, ut aliquis ex praeterita uita pensetur, et non magis
I, 5 adtendatur quod fuit, sed quod est. Vnde subiungit : NOLITE
15 ME CONSIDERARE, QVOD FVSCA SIM : QVIA DECOLORAVIT ME
SOL. Aliquando in scriptura sacra sol ponitur nimius aestus
terrenorum desideriorum. Vnde ergo fusca ? « *Quia decolo-*

---

52. Nous suivons ici la leçon proposée par J.H. WASZINK : *quasi de
malis meis me expugnant.* Cf. *loc. cit.*, p. 74.

53. Il nous apparaît évident qu'il faut retenir ici encore l'ablatif au lieu
de l'accusatif.

l'Église à son erreur pour l'établir dans la justice. *Les fils de ma mère ont combattu contre moi.* Et que firent-ils par leur combat ? ILS M'ONT ÉTABLIE GARDIENNE DANS LES VIGNES. Les vignes de l'Église, ce sont les vertus qui portent du fruit, car en combattant les vices en moi, ils m'arrachent pour ainsi dire à mes maux[52] par leur combat. Ils m'ont donné l'abondance de fruit et le zèle des vertus ; ils m'ont constituée gardienne dans les vignes pour y apporter l'abondance de fruit. Après le combat qui l'arrache au mal, qu'elle dise, en un sens particulier : MA VIGNE À MOI, JE NE L'AI PAS GARDÉE. La vigne de l'Église, c'est l'ancienne habitude de l'erreur ; étant établie gardienne des vertus, elle a délaissé cette vigne de l'ancienne habitude de son erreur.

39. Nous avons parlé de la synagogue venant à la foi[53], nous avons parlé de la gentilité convertie ; parlons à présent en général de toute l'Église dans son ensemble, et en particulier de ce qu'il faut comprendre à propos de chaque âme. Les auditeurs malveillants ont l'habitude de considérer, non pas ce que sont les docteurs qui les enseignent, mais ce qu'ils ont été ; de leur côté, les docteurs loyaux reconnaissent ce qu'ils ont été et proclament en même temps ce qu'ils sont : ainsi, ils ne cachent pas qu'ils ont été pécheurs et ils ne nient pas non plus, tels des ingrats, les dons reçus. Que l'Église dise donc par leur bouche : JE SUIS NOIRE, MAIS BELLE. Noire par moi-même, belle par le don reçu ; noire au regard du passé, belle au regard de ce que je suis devenue pour l'avenir. Comment, noire ? Comment, belle ? Noire COMME LES TENTES DE QÉDAR, belle COMME UNE PEAU DE SALOMON. Car il n'est pas juste de juger quelqu'un d'après sa vie passée, plutôt que de s'arrêter, non à ce qu'il a été, mais à ce qu'il est. Aussi, elle ajoute : NE TENEZ PAS COMPTE DE MON TEINT BASANÉ, CAR C'EST LE SOLEIL QUI A ALTÉRÉ MA COULEUR. Dans l'Écriture sainte, le soleil désigne parfois la brûlure excessive des désirs terrestres. D'où vient donc ce teint basané ? Parce

rauit me sol et ardore amoris terreni apud sponsum decolo-
rata sum, id est indecora apud regem facta ».

I, 5   **40.** FILII MATRIS MEAE PVGNAVERVNT CONTRA ME. In
omni creatura duae creaturae rationales sunt conditae,
humana et angelica. Cecidit angelus, persuasit homini.
Mater enim omnis creaturae benignitas et potentia dei. Nos
5   ergo et angeli, ex eo quod rationales conditi sumus, quasi
quandam societatem fraternitatis habemus. Sed, quia angeli
ab eadem potentia conditi sunt, a qua et nos, qui tamen
cadentes angeli cotidie contra nos bellum gerunt, dicat : *Filii
matris meae pugnauerunt contra me.* Ecce, dum pugnant isti
10   spiritus rationales, isti spiritus filii matris, dum pugnant
contra animam, faciunt eam rebus terrenis incumbere, actionibus saecularibus uacare, res transitorias quaerere. Vnde et
I, 5   subiungit : POSVERVNT ME CVSTODEM IN VINEIS, VINEAM
MEAM NON CVSTODIVI. Vineae enim sunt actiones terrenae.
15   Ac si dicat : « In actionibus terrenis custodem me posuerunt ». Et quid ? « Vineam meam, id est animam meam,
uitam meam, mentem meam, custodire neglexi : quia, dum
exterius in rerum terrenarum actione inuoluta sum, ab
interna custodia elapsa sum ». Plerique ex eo se considerant
20   quod iuxta ipsos est, non ex eo quod sunt. Iuxta ipsos sunt
dignitates, iuxta ipsos sunt exteriora ministeria : et, dum cus-
todiunt quod iuxta se habent, se ipsos custodire neglegunt.

---

54. Nous pensons que c'est bien l'âme qui s'exprime ici. Plus bas, c'est
elle qui subit le combat de « ces esprits fils de la même mère ».

55. En *Hom. in Ev.*, 17, 14 (*PL* 76, 1146 B-D), Grégoire prolonge
l'exégèse de ce verset dans des applications pastorales.

56. Compte tenu du vocabulaire peu homogène de Grégoire, nous
croyons devoir traduire en ce sens.

57. Lire, dans le même sens : *Nolite ergo in uobismetipsis pensare quod
habetis, sed qui estis* (*Hom. in Ev.*, 28, 3 : *PL* 76, 1212 C) ; également :...
quia ab internis atque inuisibilibus oculos claudimus, et uisibilibus

que c'est le soleil qui a altéré ma couleur ; parce que l'ardeur
de l'amour terrestre a altéré ma couleur aux yeux de l'Époux,
c'est-à-dire que je n'ai plus de beauté aux yeux du roi.

1, 5   **40.** Les fils de ma mère ont combattu contre moi.
Dans toute la création, deux créatures raisonnables ont été
créées, l'une humaine et l'autre angélique. L'ange est tombé,
il a séduit l'homme. Or la mère de toute créature, c'est la
bienveillance et la puissance de Dieu. Ainsi, nous et les
anges, du fait que nous sommes des créatures raisonnables,
nous sommes associés dans une sorte de fraternité. Mais
parce que les anges ont été créés par la même puissance que
nous, quoique pourtant ces anges déchus n'en mènent pas
moins une guerre quotidienne contre nous, que (l'âme)[54]
dise : *les fils de ma mère ont combattu contre moi*. Et voici
que, tandis que combattent ces esprits doués de raison, ces
esprits fils de la même mère, tandis qu'ils combattent contre
l'âme, ils la font s'appliquer aux choses terrestres, vaquer aux
affaires du siècle, rechercher les biens éphémères. C'est pourquoi, elle ajoute encore : Ils m'ont établie gardienne
dans les vignes. Ma vigne à moi, je ne l'ai pas gardée[55]. Les vignes, ce sont en effet les affaires terrestres.
Autant dire : Ils m'ont établie gardienne au milieu des
affaires terrestres. Et qu'est-il arrivé ? Ma vigne à moi, c'est-
à-dire mon âme, ma vie, mon esprit[56], j'en ai négligé la garde ;
car, me laissant envelopper à l'extérieur dans le soin des choses terrestres, j'ai failli à ma garde intérieure. Beaucoup de
gens s'examinent d'après ce qui est à côté d'eux et non d'après
ce qu'ils sont[57]. A côté d'eux, il y a les honneurs, à côté d'eux
il y a les fonctions extérieures ; tandis qu'ils gardent ce qui
est à côté d'eux, ils négligent de se garder eux-mêmes. Qu'elle

---

*pascimus, plerumque hominum non ex eo quod ipse est, sed ex his quae
circa ipsum sunt ueneramur* (*Mor.*, 25, 1 : *PL* 76, 319 C).

Dicat ergo : *Posuerunt me custodem in uineis, uineam meam
non custodiui*. Id est : « Dum exteriori custodiae in actioni-
25 bus saeculi deseruio, interioris custodiae sollicitudinem
amisi ».

41. Sed ecce, reducta anima ad gratiam creatoris sui iam
amet, iam requirat ubi redemptorem suum inueniat. Vnde
I, 6 sequitur : INDICA MIHI, QUEM DILIGIT ANIMA MEA : VBI PAS-
CIS, VBI CVBAS IN MERIDIE. In meridie sol feruentior est.
5 Omnis, qui in fide feruet, in amore desiderii feruet. Iste sponsus, qui subter hinnulus uocatur^q, in corde ipsorum pascit
uirtutum uiriditatem, in corde ipsorum recumbit in meridie,
in feruore caritatis. *Indica mihi, quem diligit anima mea :
ubi pascis, ubi cubas in meridie.*

42. « Quare sic quaeris, ubi pascat, ubi cubet ? » Causam
I, 6 reddidit inquisitionis suae : NE VAGARI INCIPIAM POST GRE-
GES SODALIVM TVORVM. Sodales dei sunt amici, familiares,
sicut sunt omnes, qui bene uiuunt. Sed multi apparent
5 sodales esse, et sodales non sunt. Multi enim doctores, dum
peruersam doctrinam suaderent, sodales quidem uidebantur,
sed inimici extiterunt. Dum adhuc doctor esset Arrius,

q. Cf. Cant. 2, 17

---

58. Grégoire suivant habituellement la version de la Vulgate, la leçon
pascis et *cubas* au lieu de *pascas* et *cubes* est douteuse et peut être imputée
ou à l'initiative de Claude ou à l'erreur d'un copiste.

59. Grégoire décrit très bien ailleurs cette expression de l'âme aimante
à travers le désir : *Animarum igitur uerba ipsa sunt desideria... ut et animarum uox sit hoc, quod amantes desiderant* (*Mor.*, 2, 11 : *CCL* 143,
p. 66-67).

60. Le même verset est étudié par Grégoire en *Hom. in Ev.*, 33, 7
(*PL* 76, 1243 D - 1244 A) et en *Mor.*, 30, 79 (*PL* 76, 569 A). Dans ces

dise donc : *Ils m'ont établie gardienne dans les vignes. Ma vigne à moi, je ne l'ai pas gardée.* C'est-à-dire : En me vouant à la garde extérieure des affaires du siècle, j'ai perdu le souci de ma sauvegarde intérieure.

L'ÉPOUSE   **41.** Mais maintenant, que l'âme ramenée à la grâce de son Créateur se mette à l'aimer, qu'elle s'enquière où elle peut 1, 6 trouver son Rédempteur ! D'où la suite : INDIQUE-MOI, TOI QUE MON ÂME AIME, OÙ TU VAS PAÎTRE[58], OÙ TU VAS TE REPOSER À MIDI. A midi, le soleil est plus ardent. Quiconque vit d'une foi ardente, vit de l'amour ardent du désir[59]. Cet Époux qui est appelé plus bas « jeune faon[q] », c'est dans le cœur de ceux-là qu'il se repaît de l'herbe verte des vertus, c'est dans leur cœur qu'il prend son repos du midi, dans l'ardeur de la charité[60]. *Indique-moi, toi que mon âme aime, où tu vas paître, où tu vas te reposer à midi.*

42. Pourquoi demandes-tu ainsi où il va paître, où il va 1, 6 se reposer ? Elle a donné le motif de sa question : POUR QUE JE NE ME METTE PAS À ERRER DERRIÈRE LES TROUPEAUX DE TES COMPAGNONS. Les compagnons de Dieu sont ses amis, ses familiers comme le sont tous ceux qui vivent dans le bien. Mais nombreux sont ceux qui font figure de compagnons et ne le sont pas. De nombreux docteurs en effet, en enseignant une doctrine pernicieuse, passaient sans doute pour des compagnons, mais se révélèrent des ennemis. Tant qu'ils étaient

---

deux textes, le terme *meridies* fait davantage référence à l'ardeur des passions qu'à l'ardeur de la charité. Avec Dom CAPELLE, nous croyons trouver ici l'indice d'une intervention directe de Claude sur le texte de Grégoire. Cf. « Les homélies de saint Grégoire sur le Cantique », dans *Rev. Bén.* 41 (1929), p. 216.

Sabellius, Montanus, quasi sodales uidebantur : sed, dum
districte discussi sunt, inimici apparuerunt. Et plerumque
10 fideles animae, dum inherent uerbo dei, dum amant in doctoribus unde proficiant, cauere nesciunt peruersorum uerba
doctorum et ex ipsorum ore deficiunt. Quam multae enim
plebes istae, quae de sodalibus crediderunt et, dum eos
sequuntur, per greges sodalium errauerunt ! Dicit ergo :
15 *Indica mihi, ubi pascas, ubi cubes in meridie : ne uagari
incipiam post greges sodalium tuorum.* Ac si dicat : « Indica
in quorum corda ueraciter requiescis : ne incipiam uagari
post greges eorum, qui sodales tui uidentur, id est qui familiares tui creduntur, et non sunt ». Omnes sacerdotes, omnes
20 doctores sodales dei sunt, quantum ad speciem ; quantum
uero ad uitam, multi non sodales sed aduersarii sunt.

43. Sed haec ipsa, quae diximus de hereticis magistris,
possumus de catholicis non bene agentibus dicere. Multi
enim paruuli intra ecclesiam fideles appetunt bene uiuere,
uolunt uitam rectitudinis tenere, considerant uitam sacerdo-
5 tum, qui eis praepositi sunt : et, dum sacerdotes ipsi non
bene uiuunt, dum hi qui praesunt non recte uiuunt, hi qui
subsequuntur in errorem dilabuntur. Vnde ecclesia quasi in
eisdem paruulis et fidelibus dicit : *Indica mihi, quem diligit
anima mea : ubi pascis, ubi cubas in meridie.* « Vitam mihi
10 ueraciter seruientium tibi indica : ut sciam ubi pascis uiriditatem uirtutum, ut sciam ubi cubes in meridie, id est ubi

---

61. Le verbe est au singulier comme si les trois noms Arius, Sabellius,
Montanus, cités à titre d'exemples, étaient coordonnés par la conjonction
uel. C'est un trait de langue parlée, plutôt qu'une négligence de style ou
une faute de copiste.

62. Le terme *catholique* introduit dans le vocabulaire chrétien par
IGNACE D'ANTIOCHE (*Smyrn.*, 8, 2 : *SC* 10[4], p. 138) caractérisait au départ
l'universalité de l'Église ; au temps de Grégoire, il y a déjà un certain
temps que le terme a évolué pour désigner l'Église « orthodoxe » par opposition aux sectes hérétiques.

encore docteurs[61], Arius, Sabellius, Montan passaient pour
des compagnons, mais quand ils eurent été soumis à un examen plus rigoureux, ils se révélèrent ennemis. Et bien souvent
les âmes fidèles, qui s'attachent à la Parole de Dieu et aiment
dans les docteurs ce qui peut les faire progresser, ne savent
pas se méfier des propos des mauvais docteurs et se perdent à
cause de leurs dires. Qu'ils sont nombreux en effet les peuples
qui sont venus à la foi grâce aux compagnons et, pour les
avoir suivis, ont erré parmi les troupeaux de ces compagnons ! Elle dit donc : *Indique-moi, où tu pais, où tu te
reposes à midi, pour que je ne me mette pas à errer derrière
les troupeaux de tes compagnons.* Autant dire : Indique-moi
ceux dans le cœur de qui tu reposes en vérité, pour que je ne
me mette pas à errer derrière les troupeaux de ceux qui
passent pour tes compagnons, c'est-à-dire ceux que l'on croit
tes familiers, mais qui ne le sont pas. Tous les prêtres, tous
les docteurs sont des compagnons de Dieu pour ce qui est de
l'apparence ; mais pour ce qui est de leur vie, beaucoup ne
sont pas ses compagnons, mais ses adversaires.

43. Or ce que nous venons de dire des maîtres hérétiques,
nous pouvons le dire pareillement des maîtres catholiques[62]
qui se conduisent mal. Dans l'Église en effet, de nombreux
croyants modestes, soucieux de vivre dans le bien, désireux
de se garder dans une vie droite, observent la vie des prêtres
qui sont à leur tête ; et dès lors que ces prêtres ne vivent pas
dans le bien, dès lors que ceux qui sont à leur tête ne vivent
pas droitement, ceux qui marchent à leur suite versent dans
l'erreur. C'est pourquoi, l'Église dit, comme par la bouche de
ces chrétiens modestes et fidèles : *Indique-moi, toi que mon
âme aime, où tu vas paître, où tu vas te reposer à midi.*
Indique-moi la vie de ceux qui te servent en vérité, pour que
je sache où tu te repais de l'herbe verte des vertus, pour que
je sache où tu iras te reposer à midi, c'est-à-dire où tu reposes
dans l'ardeur de la charité ; de crainte que, portant mon

requiescas in feruore caritatis ; ne, dum greges sodalium tuorum adspicio, ipsa uagari incipiam, nesciens cui me uerbis et
doctrinis committam ». Caute enim debet omnis auditor,
15 omnis infirmus considerare, cuius uerbis se credere debeat,
cuius magisterio uti debeat, cuius exempla sequi debeat.

I, 7   **44.** Et ecce, uerba sponsi redduntur ad sponsam : SI
IGNORAS TE, O PVLCHRA INTER MVLIERES, EGREDERE ET ABI
POST VESTIGIA GREGVM ET PASCE HEDOS TVOS IVXTA
TABERNACVLA PASTORVM. Omnis anima nihil debet amplius
5 curare, quam ut se ipsam sciat. Qui enim se ipsum scit,
cognoscit quia ad imaginem dei factus est. Si ad imaginem
dei factus est, non debeat similitudinem iumentorum sequi,
siue in luxuria siue in appetitu praesenti dissolui. De qua
ignorantia alibi dicitur : *Homo, cum in honore esset, non*
10 *intellexit : conparatus est iumentis insipientibus et similis*
factus est illis[r]. Vestigia gregum sunt actiones populorum :
quae, quanto multae sunt, tanto inpeditae, tanto peruersae.
Dicatur ergo ecclesiae : *Si ignoras te, o pulchra inter mulie-*
res, egredere et abi post uestigia gregum et pasce hedos tuos
15 *iuxta tabernacula pastorum.* « O tu, quae foeda per ignoran-
tiam, per fidem pulchra facta es inter aliorum animas ! »
Quod euidenter dicitur ad ecclesiam electorum. « *Si ignoras*
te : id est, si hoc ipsum, quod ad imaginem meam facta es,
egredere : id est, exi. Si uero non cognoscis, a quo facta es,

r. Ps. 48, 13

63. Cette triple précaution complète la mise en garde générale établie
par Grégoire à l'égard des pasteurs et des docteurs.

64. Grégoire étudie ce verset du Cantique en un sens analogue en *Mor.*,
16, 56 (*CCL* 143 A, p. 832) et en *Mor.*, 30, 56 (*PL* 76, 555 A).

65. Comme pour plusieurs Pères avant lui, le γνῶθι σεαυτόν socratique
est pour Grégoire le commandement premier de toute vie spirituelle. L'ascension vers Dieu ne peut faire suite qu'à une descente sérieuse en soi
même. Cf. *Mor.*, 11, 58 (*CCL* 143 A, p. 618-619) ; *Mor.*, 16, 56

regard sur les troupeaux de tes compagnons, je ne me mette moi-même à errer, ne sachant à qui m'en remettre pour les propos et pour les enseignements. En effet, quiconque écoute, quiconque est faible, doit considérer avec soin aux propos de qui il doit prêter foi, qui il doit tenir pour son maître, et de qui il doit suivre les exemples[63].

L'ÉPOUX   **44.** Et voici la réponse de
1, 7   l'Époux à l'Épouse : Si tu
t'ignores, ô belle entre les femmes, sors et va sur les traces des troupeaux et mène paître tes chevreaux près des tentes des bergers[64]. Aucune âme ne doit avoir de plus grand soin que celui de se connaître elle-même[65]. Celui en effet qui se connaît lui-même reconnaît qu'il a été fait à l'image de Dieu. S'il a été fait à l'image de Dieu, il ne devait pas se conformer à la ressemblance des bestiaux, se dissiper soit dans la luxure soit dans les convoitises présentes. C'est au sujet de cette ignorance qu'il a été dit ailleurs : « L'homme, alors qu'il était à l'honneur, n'a pas compris ; il s'est réglé sur les bestiaux insensés et il est devenu semblable à eux[r]. » Les « traces des troupeaux », ce sont les agissements de la foule : plus ceux-ci sont nombreux, plus ils sont embarrassés, plus ils sont dévoyés. Qu'il soit donc dit à l'Église : *Si tu t'ignores, ô belle entre les femmes, sors et va sur les traces des troupeaux et mène paître tes chevreaux près des tentes des bergers.* Ô toi qui étais laide d'ignorance, tu es devenue belle par la foi entre toutes les âmes ! Cela évidemment s'adresse à l'Église des élus. *Si tu t'ignores* : c'est-à-dire si tu ignores cette vérité que tu as été faite à mon image, *sors* : c'est-à-dire va-t'en. Si d'autre part,

(*CCL* 143 A, p. 832) ; *Mor.*, 23, 43 (*PL* 76, 277 B-D) ; *Mor.*, 30, 56 (*PL* 76, 555 A) ; *Mor.*, 35, 6 (*PL* 76, 753 A). Voir à ce sujet P. Cour-celle, *Connais-toi toi-même : de Socrate à saint Bernard*, I, Paris 1974, p. 204-229.

20 *egredere et abi,* uade *post uestigia gregum :* sequere, non
exempla mea, sed exempla populorum. *Et pasce hedos tuos
iuxta tabernacula pastorum.* Hedi nostri sunt motus carnales, hedi nostri sunt temptationes inlicitae. *Abi post uestigia
gregum :* id est, discede post exempla populorum. *Et pasce*
25 *hedos tuos :* id est, nutri motus carnales, non iam sensus spi-
ritales sed motus carnales. Abi iuxta tabernacula pastorum.
Si agnos pasceres, in tabernacula pastorum pasceres : id est,
in doctrinis magistrorum, in doctrinis apostolorum, in doctrinis prophetarum. Si uero hedos pascis, iuxta tabernacula
30 pastorum pasce ; ut fide uoceris christiana et non operibus,
quia intra uideris esse per fidem et non intra per opera. Quia
ecce increpasti, ecce redarguisti (quid enim non dicis, quod
tu benigne iam in ea operatus es ?), dic plane » :

I, 8   **45.** Nam sequitur : Eqvitatvi meo in cvrribvs pharaonis adsimilavi te, amica mea. Omnes, qui luxuriae, qui
superbiae, qui auaritiae, qui inuidiae, qui fallaciae deser-
uiunt, adhuc sub curru pharaonis sunt : equi quasi quidam
5 sub curru pharaonis sunt, id est sub regimine diaboli. Omnis
uero, qui in humilitate, in castitate, in doctrina, in caritate
feruet, iam equus effectus est creatoris nostri, iam in curru
dei positus est, iam sessorem deum habet. Vnde cuidam, cui
iam dominus praesidebat, dicitur : *Durum est tibi aduersus*
10 *stimulum calcitrare*[s]. Ac si diceret : « Meus equus es : iam
contra me calces iactare non potes, iam tibi ego praesideo ».

s. Act. 9, 5 ; 26, 14

---

66. Au sujet de ce lien nécessaire et vital entre la foi et les œuvres,
voir *Hom. in. Ev.*, 29, 3 (*PL* 76, 1214 D - 1215 A) ; *Hom. in Ez.*,
2, 7, 9 (*CCL* 142, p. 322-323).

67. Ici, Grégoire interpelle l'Époux, comme en fait preuve la forme
masculine *operatus es.* Ainsi, *ea* représente l'Épouse.

tu ne sais pas qui t'a faite, *sors et va*, va-t'en *sur les traces des troupeaux* : suis non pas mes exemples, mais les exemples de la foule. *Et mène paître tes chevreaux près des tentes des bergers.* Nos chevreaux, ce sont les mouvements de la chair ; nos chevreaux, ce sont les tentations défendues. *Va sur les traces des troupeaux* : c'est-à-dire égare-toi en suivant les exemples de la foule. *Et mène paître tes chevreaux* : c'est-à-dire nourris les mouvements de la chair, oui, les mouvements de la chair, et non plus les sens spirituels. *Va près des tentes des bergers.* Si c'étaient des agneaux que tu menais paître, ce serait dans les tentes des bergers que tu les mènerais, c'est-à-dire dans les enseignements des maîtres, dans les enseignements des apôtres, dans les enseignements des prophètes. Mais si ce sont des chevreaux que tu mènes paître, mène-les paître *près des tentes des bergers* : ainsi, on te dira chrétienne par la foi, et non par les œuvres, parce que tu apparaîtras comme étant à l'intérieur par la foi, et non à l'intérieur par les œuvres[66]. Puisque tu viens de lui faire un tel reproche, une telle réprimande — car pourquoi ne dis-tu pas ce que ta bonté a déjà accompli en elle ? — exprime-toi ouvertement[67] !

I, 8   L'ÉPOUX   **45.** De fait, on lit ensuite : A MA CAVALERIE AU MILIEU DES CHARS DE PHARAON JE T'AI COMPARÉE, Ô MA BIEN-AIMÉE. Toux ceux qui s'asservissent à la luxure, à l'orgueil, à l'avarice, à l'envie et au mensonge sont encore attelés au char du Pharaon : ils sont comme des chevaux attelés au char du Pharaon, c'est-à-dire sous la conduite du démon. D'autre part, quiconque est fervent en humilité, en chasteté, en science, en charité est déjà devenu le cheval de notre Créateur ; il est déjà attelé au char de Dieu, il a déjà Dieu pour cavalier. Aussi est-il dit à quelqu'un que le Seigneur conduisait déjà : « Il t'est dur de regimber contre l'aiguillon[s]. » Comme s'il était dit : Tu es mon cheval, tu ne peux désormais ruer contre moi ; désormais, c'est moi qui te

De istis equis alibi dicitur : *Misisti in mari equos tuos tur-
bantes aquas multas*[t]. Habet ergo currus deus, qui animabus
sanctis praesidet et per animas sanctas circumquaque per-
15 currit. Vnde scriptum est : *Currus dei decem milia, multiplex
milium laetantium*[u]. Habet currus pharao : qui tamen currus
in mari rubro summersi sunt[v], quia multi peruersi in baptis-
mate mutati sunt. Dicat ergo sponsus : *Equitatui meo in curribus pharao adsimilaui te, amica mea.* Id est : « Dum adhuc
20 tu esses in curribus pharaonis, dum adhuc operibus daemo-
nicis deseruires, ego te equitatui meo adsimilaui : quia
adtendi, quid per praedestinationem in te fecerim ; et equis
meis te conparaui ». Videt enim multos deus adhuc luxuriae,
adhuc auaritiae seruientes ; et tamen adtendit in secreto iudi-
25 cio, quid iam de ipsis operatus est : quia habet equos deus,
sed multos uidet adhuc equos esse pharaonis.

46. Et, quia considerat occulto iudicio, occulta praedes-
tinatione ad bonum commutandos, similes illos adtendit iam
equis suis : quia uidet illos ad currum suum ducturus, qui
prius in curru pharaonis deseruiebant. Vbi consideranda
5 sunt occulta iudicia : quia multi uidentur per praedicationem, per sapientiam, per castitatem, per largitatem, per lon-
ganimitatem equi dei esse ; et tamen occulto dei iudicio
equis pharaonis adsimilantur : et multi uidentur per auari-
tiam, per superbiam, per inuidiam, per luxuriam equi pha-
10 raonis esse ; et tamen occulto dei iudicio equis dei adsimi-

---

t. Hab. 3, 15   u. Ps. 67, 18   v. Cf. Ex. 14, 28

68. Pour ce terme qui apparaît d'abord chez Novatien et qui a connu la
faveur que l'on sait auprès d'Augustin, voir C. MOHRMANN, *Études sur
le latin des chrétiens*, III, Rome 1965, p. 60, 112, 142.

69. La forme, *ducturus* retenue par l'éditeur fait difficulté. On attendrait
ducendos, ou, selon une confusion connue dans le latin tardif : *ducturos*.
Ces formes figurent d'ailleurs dans certains des manuscrits.

conduis. Il est dit ailleurs de ces chevaux-là : « Tu as lancé à
la mer tes chevaux, qui ont fait bouillonner les grandes
eaux[t]. » Dieu a donc des chars, lui qui conduit les âmes
saintes et qui, par les âmes saintes, se répand au galop par-
tout à la ronde. Aussi est-il écrit : « Les chars de Dieu sont
dix mille et des milliers de mille à se réjouir[u]. » Pharaon a
aussi des chars ; ces chars pourtant ont été engloutis dans la
Mer Rouge[v] parce qu'une multitude de pécheurs ont été
transformés par le baptême. Que l'Époux dise donc : *A ma*
cavalerie au milieu des chars de Pharaon je t'ai comparée, ô
ma bien-aimée. C'est-à-dire : Alors que tu étais encore attelée
aux chars de Pharaon, alors que tu étais encore asservie aux
œuvres du démon, je t'ai comparée à ma cavalerie, parce que
j'ai porté attention à ce que j'ai accompli en toi par la prédestination[68] ; et je t'ai assimilée à mes chevaux. En effet, Dieu
en voit beaucoup encore esclaves de la luxure, encore
esclaves de l'avarice ; et pourtant il porte attention dans son
jugement secret, à ce qu'il a déjà fait d'eux ; parce que Dieu a
des chevaux, mais il voit que plusieurs sont encore les
chevaux de Pharaon.

46. Et comme il considère qu'ils doivent, par un jugement
secret, se tourner vers le bien par une secrète prédestination,
il leur porte déjà attention comme à ses chevaux, parce qu'il
les voit en pensant qu'il va les amener à son char[69], eux qui
étaient auparavant asservis au char de Pharaon. C'est là que
l'on doit observer ses jugements secrets, car nombreux sont
ceux qui, à cause de leur prédication, de leur sagesse, de leur
chasteté, de leur libéralité, de leur longanimité, passent pour
des chevaux de Dieu ; et pourtant, dans le jugement secret de
Dieu, ils sont comparés aux chevaux de Pharaon ; et nombreux sont ceux qui, à cause de leur avarice, de leur orgueil,
de leur envie, de leur luxure, passent pour des chevaux de
Pharaon ; et pourtant, dans le jugement secret de Dieu, ils

lantur : quia et illos uidet de bono ad mala uerti, et istos
uidet de malo ad bona reduci. Sicut ergo per discretionem
multi, qui equi uidentur dei, equi sunt pharaonis per repro-
bam uitam, quae illos sequitur : ita per pietatem multi, qui
15 equi pharaonis uidentur, eius electi per sanctam uitam,
quam in fine suo seruaturi sunt, equis dei adsimilantur. Vnde
blanditur sponsus et dicit : *Equitatui meo in curribus pha-*
raonis adsimilaui te, amica mea. Id est : « Tu adhuc in curribus pharaonis subdita deseruiebas, sub uitia currebas ; sed
20 ego adtendi, quid de te per praedestinationem feci. Equitatui
meo te adsimilaui : id est, electis meis similem te adtendi ».

sont comparés à ses chevaux ; car il voit à la fois les premiers se tourner du bien au mal et les derniers revenir du mal
au bien. Donc, de même que par l'effet de la rigueur[70], plusieurs, passant pour les chevaux de Dieu, sont les chevaux de
Pharaon à cause de la vie condamnable qui les attend ; de
même, par l'effet de la miséricorde, plusieurs, passant pour
les chevaux de Pharaon, élus de Dieu par la vie sainte à
laquelle ils se voueront en leurs derniers jours, sont comparés
1, 8 aux chevaux de Dieu. Aussi l'Époux se fait-il tendre et dit-il :
*A ma cavalerie au milieu des chars de Pharaon je t'ai
comparée, ô ma bien-aimée.* C'est-à-dire : Tu étais encore
asservie, attelée aux chars de Pharaon, tu courais sous le
joug des vices ; mais moi, j'ai regardé ce que j'ai fait de toi
par la prédestination. Je t'ai comparée à ma cavalerie : c'est-
à-dire, j'ai porté attention à ta ressemblance avec mes élus[71].

---

70. P. MEYVAERT propose de retenir *districtionem* au lieu de *discretionem*. Grégoire parle en effet des « jugements secrets » de Dieu ; en ce
sens *districtionem* est posé en contrepartie de *pietatem* qui suit. Cf. *loc. cit.*,
p. 218.

71. Les meilleurs manuscrits comportent un *Explicit*, soit sous une
forme abrégée, comme : *Explicit sermo secundus de exceda,* soit sous la
forme plus complète : *Explicit expositio beati Gregorii papae in canticis
canticorum.*

INDEX DES CITATIONS BIBLIQUES

Pour le *Cantique des cantiques* les versets commentés dans chaque passage et indiqués dans les marges du texte ne sont pas repris dans l'index. Le chiffre de droite de chaque colonne renvoie aux pages du volume.

INDEX ANALYTIQUE DES MOTS LATINS

Cet index veut mettre en relief certaines caractéristiques de la pensée et du vocabulaire grégoriens. Il permettra au lecteur de vérifier la fréquence de certains termes qui nous apparaissent particulièrement importants dans la structure du commentaire.

Les chiffres renvoient au paragraphe et à la ligne.

3.14.17.27.34.42 ; 21, 17 ; 22, 10 ; 25, 9 ; 26, 15 ; 31, 8 ; 33, 5.8 ; 36, 13 ; 45, 9.

Ducere : 20, 8 ; 24, 2 ; 27, 10.13.

Ecclesia : 7, 11 ; 8, 18.28.32.34 ; 9, 31 ; 10, 4.8.11.18 ; 11, 1 ; 12, 6.9.12.17 ; 13, 7 ; 14, 12.19 ; 15, 1 ; 16, 7 ; 20, 2 ; 21, 1 ; 26, 2.5.7.12.24.30 ; 28, 1.7 ; 29, 9 ; 32, 4.8 ; 35, 6 ; 36, 2.3 ; 37, 3.14 ; 38, 5.10.14.19 ; 39, 3.8 ; 43, 3.7 ; 44, 13.17.

Elatio : 16, 10.

Elatus : 16, 12.

Eleuare : 26, 8.

Eligere : 5, 22.23 ; 18, 7 ; 22, 2 ; 25, 18 ; 44, 17 ; 46, 15.21.

Enigma : 1, 6 ; 2, 3.

Errare : 42, 14.

Error : 37, 16 ; 38, 11.19.21 ; 43, 7.

Exaltare : 3, 13 ; 27, 11.

Exhaltatio : 18, 40.

Exterior, exterius : 2, 9 ; 4, 2(bis).5.10.16 ; 5, 26 ; 6, 6.12 ; 8, 21 ; 17, 4 ; 18, 26 ; 21, 6.9 ; 23, 6.12 ; 29, 8 ; 40, 18.21.24

Extolli : 16, 11 ; 27, 7.15 ; 30, 12(bis) ; 38, 8.

Extra (corpus fieri, homines esse) : 4, 6.36.

Feruere : 3, 15 ; 41, 4.5(bis) ; 45, 7.

Feruor : 10, 21 ; 22, 13 ; 25, 28 ; 41, 8 ; 43, 12.

Fides : 8, 7 ; 19, 13 ; 26, 5.6.21 ; 35, 2 ; 36, 1.2 ; 37, 2 ; 38, 5 ; 39, 1 ; 41, 5 ; 44, 15.30.31.

Flagrantia (Spiritus Sancti uirtutis) : 14, 9.11.16 ; 17, 11.

Flagrare : 5, 24 ; 22, 6.10.

Foras : 22, 5 ; 29, 6.

Foris : 1, 4.

Humanus (genus, natura, mens) : 1, 2 ; 4, 21.35 ; 12, 5 ; 17, 7(bis) ; 21, 17 ; 23, 7 ; 24, 4 ; 25, 10 ; 40, 2.

Humiliare (se) : 3, 13 ; 27, 12.

Ignorantia : 4, 11 ; 44, 9.15.

Imago (Dei) : 17, 13 ; 44, 6(bis).18.

Impassibilitas (nihil passibile) : 4, 12.53.54.

Incarnare, incarnatio : 13, 7.14.17 ; 14, 6.8.17 ; 16, 2.8.12 ; 21, 6.17 ; 23, 6.

Incitare : 8, 21 ; 24, 11.

Infra : 3, 4 ; 9, 17.22.

Ingredior : 26, 5.15.30 ; 28,8.

Inherere : 4, 15 ; 15, 4 ; 42, 10.

Inlustrare : 12, 12 ; 14, 20 ; 15, 5.

Sublimis : 7, 19.20 ; 8, 26 ; 12, 15 ; 14, 23 ; 26, 9.12.26.29 ; 27, 6.11.13 : 28, 1.9.10.
Sublimitas : 19, 11.
Superna (*Subst.*) : 9, 26.
Supernus (*Adj.*) : 9, 22 ; 38, 4.
Supra : 3, 5 ; 4, 48.
Suspirare : 12, 9 ; 13, 1.

Tabernaculum : 32, 2.12.14.15.20.21.26 ; 36, 11(*bis*).12 ; 39, 11 ; 44, 4.15.22.26.27.29.
Tangere (mentem) : 15, 8.16 ; 33, 7.8.
Tenebrae : 4, 10 ; 32, 12.13 ; 36, 12.13.
Terrenus : 2, 5 ; 39, 17 ; 39, 18 ; 40, 11.14.15.18.
Torpor : 1, 4.5 ; 3, 3 ; 25, 27.28.
Trahere : 24, 1(*bis*).2.7.11 ; 29, 7.
Transire : 4, 12 ; 5, 22 ; 16, 6.7.

Vber : 3, 6 ; 13, 9.12.15.18 ; 16, 1(*bis*).11 ; 19, 4.5.8 ; 29, 2.3.4.5.7. 8(*bis*).12 ; 30, 2.9.15.18.20.22.
Venire : 8, 13 ; 26, 8 ; 28, 6 ; 31, 12.18 ; 33, 5.8.11 ; 35, 2.3 ; 36, 4 ; 37, 2 ; 39, 1.
Videre (*voir*) : 5, 14 ; 8, 37 ; 9, 19 ; 11, 2 ; 13, 6 ; 17, 2 ; 23, 10.12 ; 24, 5.8.9 ; 28, 2 ; 33, 10 ; 45, 26 ; 46, 3.11.12.
Videri (*paraître, sembler)* : 17, 2 ; 46, 5.8.13.15.
Virtus : 3, 14 ; 4, 12.51 ; 7, 16 ; 14, 3.11.16 ; 17, 2.4.6.9.11.12 ; 20, 2.3(*ter*).4.5.9.14 ; 23, 8 ; 25, 18 ; 26, 7 ; 37, 13 ; 38, 14.16.20 ; 41, 7 ; 43, 11.
Visio : 14, 19 ; 18, 8.44 ; 25, 3.

TABLES DES MATIÈRES

SOURCES CHRÉTIENNES

LISTE COMPLÈTE DE TOUS LES VOLUMES PARUS

N.B. — L'ordre suivant est celui de la date de parution (n° 1 en 1942) et il n'est pas tenu compte ici du classement en séries : grecque, latine, byzantine, orientale, textes monastiques d'Occident ; et série annexe : textes para-chrétiens.

Sauf indication contraire, chaque volume comporte le texte original, grec ou latin, souvent avec un apparat critique inédit.

La mention *bis* indique une seconde édition. Quand cette seconde édition ne diffère de la première que par de menues corrections et des *Addenda et Corrigenda* ajoutés en appendice, la date est accompagnée de la mention « réimpression avec supplément ».

1. GRÉGOIRE DE NYSSE : **Vie de Moïse.** J. Daniélou (3ᵉ édition) (1968).

2 bis. CLÉMENT D'ALEXANDRIE : **Protreptique.** C. Mondésert, A. Plassart (réimpression de la 2ᵉ éd., 1976).

3 bis. ATHÉNAGORE : **Supplique au sujet des chrétiens.** *En préparation.*

4 bis. NICOLAS CABASILAS : **Explication de la divine Liturgie.** S. Salaville, R. Bornert, J. Gouillard, P. Périchon (1967).

5. DIADOQUE DE PHOTICÉ : **Œuvres spirituelles.** É des Places (réimpr. de la 2ᵉ éd., avec suppl., 1966).

6 bis. GRÉGOIRE DE NYSSE : **La création de l'homme.** *En préparation.*

7 bis. ORIGÈNE : **Hom. sur la Genèse.** H. de Lubac, L. Doutreleau (1976).

8. NICÉTAS STÉTHATOS : **Le paradis spirituel.** *remplacé par le n° 81.*

9 bis. MAXIME LE CONFESSEUR : **Centuries sur la charité.** *En préparation.*

10. IGNACE D'ANTIOCHE : **Lettres — Lettres et Martyre de** POLYCARPE DE SMYRNE. P.-Th. Camelot (4ᵉ édition) (1969).

11 bis. HIPPOLYTE DE ROME : **La Tradition apostolique.** B. Botte (1968).

12 bis. JEAN MOSCHUS : **Le Pré spirituel.** *En préparation.*

13. JEAN CHRYSOSTOME : **Lettres à Olympias.** A.-M. Malingrey. Trad. seule (1947).

13 bis. 2ᵉ édition avec le texte grec et la **Vie anonyme d'Olympias** (1968).

14. HIPPOLYTE DE ROME : **Commentaire sur Daniel.** G. Bardy, M. Lefèvre. Trad. seule (1947).
2ᵉ édition avec le texte grec. *En préparation.*

15 bis. ATHANASE D'ALEXANDRIE : **Lettres à Sérapion.** J. Lebon. *En prép.*

16 bis. ORIGÈNE : **Hom. sur l'Exode.** H. de Lubac, J. Fortier. *En prép*

17. Basile de Césarée : **Sur le Saint-Esprit.** B. Pruche. Trad. seule (1947).

17 bis. 2ᵉ édition avec le texte grec (1968).

18 bis. Athanase d'Alexandrie : **Discours contre les païens.** P.-Th. Camelot (1977).

19 bis. Hilaire de Poitiers : **Traité des Mystères.** P. Brisson (réimpression, avec supplément, 1967).

20. Théophile d'Antioche : **Trois livres à Autolycus.** G. Bardy, J. Sender. Trad. seule (1948).
2ᵉ édition avec le texte grec. *En préparation.*

21. Éthérie : **Journal de voyage.** H. Pétré. *Remplacé par le nᵒ 296.*

22 bis. Léon le Grand : **Sermons** 1-19. J. Leclercq, R. Dolle (1964).

23. Clément d'Alexandrie : **Extraits de Théodote.** F. Sagnard (réimpr., 1970).

24 bis. Ptolémée : **Lettre à Flora.** G. Quispel (1966).

25 bis. Ambroise de Milan : **Des Sacrements. Des Mystères. Explication du Symbole.** B. Botte (réimpr. de la 2ᵉ éd., 1980).

26 bis. Basile de Césarée : **Homélies sur l'Hexaéméron.** S. Giet (réimpr. avec suppl., 1968).

27 bis. **Homélies Pascales.** t. I. P. Nautin. *En préparation.*

28 bis. Jean Chrysostome : **Sur l'incompréhensibilité de Dieu.** J. Daniélou, A.-M. Malingrey, R. Flacelière (1970).

29 bis. Origène : **Homélies sur les Nombres.** A. Méhat. *En préparation.*

30 bis. Clément d'Alexandrie : **Stromate I.** *En préparation.*

31. Eusèbe de Césarée : **Histoire ecclésiastique,** t. I. Livres I-IV. G. Bardy (réimpression, 1964).

32 bis. Grégoire le Grand : **Morales sur Job,** t. I. Livres I-II. R. Gillet, A. de Gaudemaris (1975).

33 bis. **A Diognète.** H.-I. Marrou (réimpr. avec suppl., 1965).

34. Irénée de Lyon : **Contre les hérésies,** livre III. F. Sagnard. *Remplacé par les nᵒˢ 210 et 211.*

35 bis. Tertullien : **Traité du baptême.** F. Refoulé. *En préparation.*

36 bis. **Homélies Pascales,** t. II. P. Nautin. *En préparation.*

37 bis. Origène : **Homélies sur le Cantique.** O. Rousseau (1966).

38 bis. Clément d'Alexandrie : **Stromate II.** *En préparation.*

39 bis. Lactance : **De la mort des persécuteurs.** 2 vol. *En préparation.*

40. Théodoret de Cyr : **Correspondance,** t. I. Y. Azéma (1955).

41. Eusèbe de Césarée : **Histoire ecclésiastique,** t. II. Livres V-VII. G. Bardy (réimpression, 1965).

42. Jean Cassien : **Conférences,** t. I. E. Pichery (réimpression, 1966).

43 bis. Jérôme : **Sur Jonas.** *En préparation.*

44. Philoxène de Mabboug : **Homélies.** E. Lemoine. Trad. seule (1956).

45. Ambroise de Milan : **Sur S. Luc,** t. I. G. Tissot (réimpr. avec suppl., 1971).

46 bis. Tertullien : **De la prescription contre les hérétiques.** *En préparation.*

47. Philon d'Alexandrie : **La migration d'Abraham.** *Épuisé.* Voir série « Les Œuvres de Philon ».

48. **Homélies Pascales,** t. III. F. Floëri et P. Nautin (1957).

49 bis. Léon le Grand : **Sermons** 20-37. R. Dolle (1969).

50 bis. JEAN CHRYSOSTOME : **Huit catéchèses baptismales inédites.** A. Wenger (réimpr. avec suppl., 1970).

51 bis. SYMÉON LE NOUVEAU THÉOLOGIEN : **Chapitres théologiques, gnostiques et pratiques.** J. Darrouzès et L. Neyrand (1980).

52 bis. AMBROISE DE MILAN : **Sur S. Luc,** t. II. G. Tissot (réimpr. avec suppl., 1976).

53 bis. HERMAS : **Le Pasteur.** R. Joly (réimpr. avec suppl., 1968).

54. JEAN CASSIEN : **Conférences,** t. II. E. Pichery (réimpression, 1966).

55. EUSÈBE DE CÉSARÉE : **Histoire ecclésiastique,** t. III. Livres VIII-X. G. Bardy (réimpression, 1967).

56. ATHANASE D'ALEXANDRIE : **Deux apologies.** J. Szymusiak (1958).

57. THÉODORET DE CYR : **Thérapeutique des maladies helléniques.** 2 volumes. P. Canivet (1958).

58 bis. DENYS L'ARÉOPAGITE : **La hiérarchie céleste.** G. Heil, R. Roques, M. de Gandillac (réimpr. avec suppl., 1970).

59. **Trois antiques rituels du baptême.** A. Salles. Trad. seule. *Épuisé.*

60. AELRED DE RIEVAULX : **Quand Jésus eut douze ans.** A. Hoste, J. Dubois (1958).

61 bis. GUILLAUME DE SAINT-THIERRY : **Traité de la contemplation de Dieu.** J. Hourlier (réimpression, 1977).

62. IRÉNÉE DE LYON : **Démonstration de la prédication apostolique.** L. Froidevaux. Nouvelle trad. sur l'arménien. Trad. seule (réimpr., 1971).

63. RICHARD DE SAINT-VICTOR : **La Trinité.** G. Salet (1959).

64. JEAN CASSIEN : **Conférences,** t. III. E. Pichery (réimpr., 1971).

65. GÉLASE Ier : **Lettre contre les Lupercales et dix-huit messes du sacramentaire léonien.** G. Pomarès (1960).

66. ADAM DE PERSEIGNE : **Lettres,** t. I. J. Bouvet (1960).

67. ORIGÈNE : **Entretien avec Héraclide.** J. Scherer (1960).

68. MARIUS VICTORINUS : **Traités théologiques sur la Trinité.** P. Henry, P. Hadot. Tome I. Introd., texte critique, traduction (1960).

69. **Id.** — Tome II. Commentaire et tables (1960).

70. CLÉMENT D'ALEXANDRIE : **Le Pédagogue,** t. I. H.-I. Marrou, M. Harl (1960).

71. ORIGÈNE : **Homélies sur Josué.** A. Jaubert (1960).

72. AMÉDÉE DE LAUSANNE : **Huit homélies mariales.** G. Bavaud, J. Deshusses, A. Dumas (1960).

73 bis. EUSÈBE DE CÉSARÉE : **Histoire ecclésiastique,** t. IV. Introd. générale de G. Bardy et tables de P. Périchon (réimpr. avec suppl., 1971).

74 bis. LÉON LE GRAND : **Sermons 38-64.** R. Dolle (1976).

75. S. AUGUSTIN : **Commentaire de la Ire Épître de S. Jean.** P. Agaësse (réimpression, 1966).

76. AELRED DE RIEVAULX : **La vie de recluse.** Ch. Dumont (1961).

77. DEFENSOR DE LIGUGÉ : **Le livre d'étincelles,** t. I. H. Rochais (1961).

78. GRÉGOIRE DE NAREK : **Le livre de Prières.** I. Kéchichian. Trad. seule (1961).

79. JEAN CHRYSOSTOME : **Sur la Providence de Dieu.** A.-M. Malingrey (1961).

80. JEAN DAMASCÈNE : **Homélies sur la Nativité et la Dormition.** P. Voulet (1961).

81. Nicétas Stéthatos : **Opuscules et lettres.** J. Darrouzès (1961).

82. Guillaume de Saint-Thierry : **Exposé sur le Cantique des Cantiques.** J.-M. Déchanet (1962).

83. Didyme l'Aveugle : **Sur Zacharie.** Texte inédit. L. Doutreleau. Tome I. Introduction et livre I (1962).

84. **Id.** — Tome II. Livres II et III (1962).

85. **Id.** — Tome III. Livres IV et V, Index (1962).

86. Defensor de Ligugé : **Le livre d'étincelles,** t. II. H. Rochais (1962).

87. Origène : **Homélies sur S. Luc.** H. Crouzel, F. Fournier, P. Périchon (1962).

88. **Lettres des premiers Chartreux,** tome I : S. Bruno, Guigues, S. Anthelme. Par un Chartreux (1962).

89. **Lettre d'Aristée à Philocrate.** A. Pelletier (1962).

90. **Vie de sainte Mélanie.** D. Gorce (1962).

91. Anselme de Cantorbéry : **Pourquoi Dieu s'est fait homme.** R. Roques (1963).

92. Dorothée de Gaza : **Œuvres spirituelles.** L. Regnault, J. de Préville (1963).

93. Baudouin de Ford : **Le sacrement de l'autel.** J. Morson, É. de Solms, J. Leclercq. Tome I (1963).

94. **Id.** — Tome II (1963).

95. Méthode d'Olympe : **Le banquet.** H. Musurillo, V.-H. Debidour (1963).

96. Syméon le Nouveau Théologien : **Catéchèses.** B. Krivochéine, J. Paramelle. Tome I. Introduction et Catéchèses 1-5 (1963).

97. Cyrille d'Alexandrie : **Deux dialogues christologiques.** G. M. de Durand (1964).

98. Théodoret de Cyr : **Correspondance,** t. II. Y. Azéma (1964).

99. Romanos le Mélode : **Hymnes.** J. Grosdidier de Matons. Tome I. Introduction et Hymnes I-VIII (1964).

100. Irénée de Lyon : **Contre les hérésies,** livre IV. A. Rousseau, B. Hemmerdinger, Ch. Mercier, L. Doutreleau. 2 vol. (1965).

101. Quodvultdeus : **Livre des promesses et des prédictions de Dieu,** R. Braun. Tome I (1964).

102. **Id.** — Tome II (1964).

103. Jean Chrysostome : **Lettre d'exil.** A.-M. Malingrey (1964).

104. Syméon le Nouveau Théologien : **Catéchèses.** B. Krivochéine, J. Paramelle. Tome II. Catéchèses 6-22 (1964).

105. **La Règle du Maître.** A. de Vogüé. Tome I. Introd. et chap. 1-10 (1964).

106. **Id.** — Tome II. Chap. 11-95 (1964).

107. **Id.** — Tome III. Concordance et Index orthographique. J.-M. Clément, J. Neufville, D. Demeslay (1965).

108. Clément d'Alexandrie : **Le Pédagogue,** tome II. Cl. Mondésert, H.-I. Marrou (1965).

109. Jean Cassien : **Institutions cénobitiques.** J.-C. Guy (1965).

110. Romanos le Mélode : **Hymnes.** J. Grosdidier de Matons. Tome II. Hymnes IX-XX (1965).

111. Théodoret de Cyr : **Correspondance,** t. III. Y. Azéma (1965).

112. Constance de Lyon : **Vie de S. Germain d'Auxerre.** R. Borius (1965).

113. Syméon le Nouveau Théologien : **Catéchèses.** B. Krivochéine, J. Paramelle. Tome III. Catéchèses 23-34, Actions de grâces 1-2 (1965).

114. Romanos le Mélode : **Hymnes.** J. Grosdidier de Matons. Tome III. Hymnes XXI-XXXI (1965).

115. Manuel II Paléologue : **Entretien avec un musulman.** A.-Th. Khoury (1966).

116. Augustin d'Hippone : **Sermons pour la Pâque.** S. Poque (1966).

117. Jean Chrysostome : **A Théodore.** J. Dumortier (1966).

118. Anselme de Havelberg : **Dialogues,** livre I. G. Salet (1966).

119. Grégoire de Nysse : **Traité de la Virginité.** M. Aubineau (1966).

120. Origène : **Commentaire sur S. Jean.** C. Blanc. Tome I. Livres I-V (1966).

121. Éphrem de Nisibe : **Commentaire de l'Évangile concordant ou Diatessaron.** L. Leloir. Trad. seule (1966).

122. Syméon le Nouveau Théologien : **Traités théologiques et éthiques.** J. Darrouzès. Tome I. Théol. 1-3, Éth. 1-3 (1966).

123. Méliton de Sardes : **Sur la Pâque (et fragments).** O. Perler (1966).

124. **Expositio totius mundi et gentium.** J. Rougé (1966).

125. Jean Crhysostome : **La Virginité.** H. Musurillo, B. Grillet (1966).

126. Cyrille de Jérusalem : **Catéchèses mystagogiques.** A. Piédagnel, P. Paris (1966).

127. Gertrude d'Helfta : **Œuvres spirituelles.** Tome I. **Les Exercices.** J. Hourlier, A. Schmitt (1967).

128. Romanos le Mélode : **Hymnes.** J. Grosdidier de Matons. Tome IV. Hymnes XXXII-XLV (1967).

129. Syméon le Nouveau Théologien : **Traités théologiques et éthiques.** J. Darrouzès. Tome II. Éth. 4-15 (1967).

130. Isaac de l'Étoile : **Sermons.** A. Hoste, G. Salet. Tome I. Introduction et Sermons 1-17 (1967).

131. Rupert de Deutz : **Les œuvres du Saint-Esprit.** J. Gribomont, É. de Solms. Tome I. Livres I et II (1967).

132. Origène : **Contre Celse.** M. Borret. Tome I. Livres I et II (1967).

133. Sulpice Sévère : **Vie de S. Martin.** J. Fontaine. Tome I. Introduction, texte et traduction (1967).

134. **Id.** — Tome II. Commentaire (1968).

135. **Id.** — Tome III. Commentaire (suite), Index (1969).

136. Origène : **Contre Celse.** M. Borret. Tome II. Livres III et IV (1968).

137. Éphrem de Nisibe : **Hymnes sur le Paradis.** F. Graffin, R. Lavenant. Trad. seule (1968).

138. Jean Chrysostome : **A une jeune veuve. Sur le mariage unique.** B. Grillet, G.-H. Ettlinger (1968).

139. Gertrude d'Helfta : **Œuvres spirituelles.** Tome II. **Le Héraut.** Livres I et II. P. Doyère (1968).

140. Rufin d'Aquilée : **Les bénédictions des Patriarches.** M. Simonetti, H. Rochais, P. Antin (1968).

141. Cosmas Indicopleustès : **Topographie chrétienne.** Tome I. Introduction et livres I-IV. W. Wolska-Conus (1968).

142. **Vie des Pères du Jura.** F. Martine (1968).

143. Gertrude d'Helfta : **Œuvres spirituelles.** Tome III. **Le Héraut.** Livre III. P. Doyère (1968).

175. Césaire d'Arles : **Sermons au peuple.** Tome I. Sermons 1-20. M.-J. Delage (1971).

176. Salvien de Marseille : **Œuvres.** Tome I. G. Lagarrigue (1971).

177. Callinicos : **Vie d'Hypatios.** G.J.M. Bartelink (1971).

178. Grégoire de Nysse : **Vie de sainte Macrine.** P. Maraval (1971).

179. Ambroise de Milan : **La pénitence.** R. Gryson (1971).

180. Jean Scot : **Commentaire sur l'évangile de Jean.** É. Jeauneau (1972).

181. **La Règle de S. Benoît.** Tome I. Introduction et Chapitres I-VII. A. de Vogüé et J. Neufville (1972).

182. **Id.** — Tome II. Chapitres VIII-LXXIII, Tables et concordance. A. de Vogüé et J. Neufville (1972).

183. **Id.** — Tome III. Étude de la tradition manuscrite. J. Neufville (1972).

184. **Id.** — Tome IV. Commentaire (I-III). A. de Vogüé (1971).

185. **Id.** — Tome V. Commentaire (IV-VI). A. de Vogüé (1971).

186. **Id.** — Tome VI. Commentaire (VII-IX), Index. A. de Vogüé (1971).

187. Hésychius de Jérusalem, Basile de Séleucie, Jean de Béryte, Pseudo-Chrysostome, Léonce de Constantinople : **Homélies pascales.** M. Aubineau (1972).

188. Jean Chrysostome : **Sur la vaine gloire et l'éducation des enfants.** A.-M. Malingrey (1972).

189. **La chaîne palestinienne sur le psaume 118.** Tome I. Introduction, texte critique et traduction. M. Harl (1972).

190. **Id.** — Tome II. Catalogue des fragments, Notes et Index. M. Harl (1972).

191. Pierre Damien : **Lettre sur la toute-puissance divine.** A. Cantin (1972).

192. Julien de Vézelay : **Sermons.** Tome I. Introduction et Sermons 1-16. D. Vorreux (1972).

193. **Id.** — Tome II. Sermons 17-27, Index. D. Vorreux (1972).

194. **Actes de la Conférence de Carthage en 411.** Tome I. Introduction. S. Lancel (1972).

195. **Id.** — Tome II. Texte et traduction de la Capitulation et des Actes de la première séance. S. Lancel (1972).

196. Syméon le Nouveau Théologien : **Hymnes.** J. Koder, J. Paramelle, L. Neyrand. Tome III. Hymnes XLI-LVIII, Index (1973).

197. Cosmas Indicopleustès : **Topographie chrétienne.** T. III. Livres VI-XII, Index. W. Wolska-Conus (1973).

198. **Livre (cathare) des deux principes.** Ch. Thouzellier (1973).

199. Athanase d'Alexandrie : **Sur l'incarnation du Verbe.** C. Kannengiesser (1973).

200. Léon le Grand : **Sermons.** tome IV. Sermons 65-98, Éloge de S. Léon, Index. R. Dolle (1973).

201. **Évangile de Pierre.** M.-G. Mara (1973).

202. Guerric d'Igny : **Sermons.** Tome II. J. Morson, H. Costello, P. Deseille (1973).

203. Nersès Snorhali : **Jésus, Fils unique du Père.** I. Kéchichian. Trad. seule (1973).

204. Lactance : **Institutions divines,** livre V. Tome I. Introd., texte et trad. P. Monat (1973).

205. **Id.** — Tome II. Commentaire et index. P. Monat (1973).

206. EUSÈBE DE CÉSARÉE : **Préparation évangélique,** livre I. J. Sirinelli, É. des Places (1974).

207. ISAAC DE L'ÉTOILE : **Sermons.** A. Hoste, G. Salet, G. Raciti. Tome II. Sermons 18-39 (1974).

208. GRÉGOIRE DE NAZIANZE : **Lettres théologiques.** P. Gallay (1974).

209. PAULIN DE PELLA : **Poème d'actions de grâces** et **Prière.** C. Moussy (1974).

210. IRÉNÉE DE LYON : **Contre les hérésies,** livre III. A. Rousseau, L. Doutreleau. Tome I. Introduction, notes justificatives et tables (1974).

211. **Id.** — Tome II. Texte et traduction (1974).

212. GRÉGOIRE LE GRAND : **Morales sur Job.** Livres XI-XIV. A. Bocognano (1974).

213. LACTANCE : **L'ouvrage du Dieu créateur.** Tome I. Introd., texte critique et trad. M. Perrin (1974).

214. **Id.** — Tome II. Commentaire et index. M. Perrin (1974).

215. EUSÈBE DE CÉSARÉE : **Préparation évangélique,** livre VII. G. Schrœder, É. des Places (1975).

216. TERTULLIEN : **La chair du Christ.** Tome I. Introduction, texte critique et traduction. J.- P. Mahé (1975).

217. **Id.** — Tome II. Commentaire et Index. J.-P. Mahé (1975).

218. HYDACE : **Chronique.** Tome I. Introduction, texte critique et traduction. A. Tranoy (1975).

219. **Id.** — Tome II. Commentaire et index. A. Tranoy (1975).

220. SALVIEN DE MARSEILLE : **Œuvres,** t. II. G. Lagarrigue (1975).

221. GRÉGOIRE LE GRAND : **Morales sur Job.** Livres XV-XVI. A. Bocognano (1975).

222. ORIGÈNE : **Commentaire sur S. Jean.** Tome III. Livre XIII. C. Blanc (1975).

223. GUILLAUME DE SAINT-THIERRY : **Lettre aux Frères du Mont-Dieu (Lettre d'or).** J.-M. Déchanet (1975).

224. **Actes de la Conférence de Carthage en 411.** Tome III. Texte et traduction des Actes de la 2e et de la 3e séance. S. Lancel (1975).

225. DHUODA : **Manuel pour mon fils.** P. Riché, B. de Vregille et C. Mondésert (1975).

226. ORIGÈNE : **Philocalie 21-27 (Sur le libre arbitre).** É. Junod (1976).

227. ORIGÈNE : **Contre Celse.** M. Borret. Tome V. Introduction et index (1976).

228. EUSÈBE DE CÉSARÉE : **Préparation évangélique.** Livres II-III. É. des Places (1976).

229. PSEUDO-PHILON : **Les Antiquités Bibliques.** D. J. Harrington, C. Perrot, P. Bogaert, J. Cazeaux. Tome I. Introduction critique, texte et traduction (1976).

230. **Id.** — Tome II. Introduction littéraire, commentaire et index (1976).

231. CYRILLE D'ALEXANDRIE : **Dialogues sur la Trinité.** Tome I. Dial. I et II. G.-M. de Durand (1976).

232. ORIGÈNE : **Homélies sur Jérémie.** P. Nautin et P. Husson. Tome I. Introduction et homélies I-XI (1976).

233. DIDYME L'AVEUGLE : **Sur la Genèse.** Tome I (Sur Genèse I-IV). P. Nautin et L. Doutreleau (1976).

234. THÉODORET DE CYR : **Histoire des moines de Syrie.** Tome I. Introduction et **Histoire philothée** I-XIII. P. Canivet et A. Leroy-Molinghen (1977).

235. HILAIRE D'ARLES : **Vie de S. Honorat.** M.-D. Valentin (1977).

236. **Rituel cathare.** C. Thouzellier (1977).

237. CYRILLE D'ALEXANDRIE : **Dialogues sur la Trinité.** Tome II. Dial. III-IV. G.-M. de Durand (1977).

238. ORIGÈNE : **Homélies sur Jérémie.** Tome II. Homélies XII-XX et homélies latines, index. P. Nautin et P. Husson (1977).

239. AMBROISE DE MILAN : **Apologie de David.** P. Hadot et M. Cordier (1977).

240. PIERRE DE CELLE : **L'école du cloître.** G. de Martel (1977).

241. **Conciles gaulois du IVe siècle.** J. Gaudemet (1977).

242. S. JÉRÔME : **Commentaire sur S. Matthieu.** Tome I. Livres I et II. É. Bonnard (1978).

243. CÉSAIRE D'ARLES : **Sermons au peuple.** Tome II. Sermons 21-55. M.-J. Delage (1978).

244. DIDYME L'AVEUGLE : **Sur la Genèse.** Tome II (Sur Genèse V-XVII). Index. P. Nautin et L. Doutreleau (1978).

245. **Targum du Pentateuque.** Tome I : **Genèse.** R. Le Déaut et J. Robert. Trad. seule (1978).

246. CYRILLE D'ALEXANDRIE : **Dialogues sur la Trinité.** Tome III. Livres VI-VII, index. G.-M. de Durand (1978).

247. GRÉGOIRE DE NAZIANZE : **Discours** 1-3. J. Bernardi (1978).

248. **La doctrine des douze apôtres.** W. Rordorf et A. Tuilier (1978).

249. S. PATRICK : **Confession et Lettre à Coroticus.** R.P.C. Hanson et C. Blanc (1978).

250. GRÉGOIRE DE NAZIANZE : **Discours** 27-31 (Discours théologiques). P. Gallay (1978).

251. GRÉGOIRE LE GRAND : **Dialogues.** Tome I. Introduction, bibliographie et cartes. A. de Vogüé (1978).

252. ORIGÈNE : **Traité des principes.** Livres I et II. H. Crouzel et M. Simonetti. Tome I : Introduction, texte critique et traduction (1978).

253. **Id.** — Tome II : Commentaire et fragments. H. Crouzel et M. Simonetti (1978).

254. HILAIRE DE POITIERS : **Sur Matthieu,** t. I : Introduction et chap. 1-13. J. Doignon (1978).

255. GERTRUDE D'HELFTA : **Œuvres spirituelles.** Tome IV. **Le Héraut.** Livre IV. J.-M. Clément, B. de Vregille et les Moniales de Wisques (1978).

256. **Targum du Pentateuque.** Tome II : **Exode et Lévitique.** R. Le Déaut et J. Robert. Trad. seule (1979).

257. THÉODORET DE CYR : **Histoire des moines de Syrie.** Tome II, **Histoire Philothée (XIV-XXX), Traité sur la Charité (XXXI)** et Index. P. Canivet et A. Leroy-Molinghen (1979).

258. HILAIRE DE POITIERS : **Sur Matthieu.** Tome II. Chap. 14-33, appendice et index. J. Doignon (1979).

259. S. JÉRÔME : **Commentaire sur S. Matthieu.** Tome II. Livres III et IV, Index. É. Bonnard (1979).

260. GRÉGOIRE LE GRAND : **Dialogues.** Tome II. Livres I-III. A. de Vogüé et P. Antin (1979).

261. **Targum du Pentateuque.** Tome III : **Nombres.** R. Le Déaut et J. Robert. Trad. seule (1979).

262. EUSÈBE DE CÉSARÉE : **Préparation évangélique,** livres IV, 1 - V, 17. O. Zink et É. des Places (1979).

263. IRÉNÉE DE LYON : **Contre les hérésies,** livre I. A. Rousseau, L. Doutreleau. Tome I. Introduction, notes justificatives et tables (1979).

264. **Id.** — Tome II. Texte et traduction (1979).

265. GRÉGOIRE LE GRAND : **Dialogues.** Tome III. Livre IV, tables et index. A. de Vogüé et P. Antin (1980).

266. EUSÈBE DE CÉSARÉE : **Préparation évangélique,** livre V, 18-36 et VI. É. des Places (1980).

267. **Scolies ariennes sur le concile d'Aquilée.** R. Gryson (1980).

268. ORIGÈNE : **Traité des principes.** Tome III. Livres III et IV : Texte critique et traduction. H. Crouzel et M. Simonetti (1980).

269. **Id.** — Tome IV. Livres III et IV : Commentaire et fragments. H. Crouzel et M. Simonetti (1980).

270. GRÉGOIRE DE NAZIANZE : **Discours** 20-23. J. Mossay (1980).

271. **Targum du Pentateuque.** Tome IV. **Deutéronome,** bibliographie, glossaire et index des tomes I-IV. R. Le Déaut (1980).

272. JEAN CHRYSOSTOME : **Sur le sacerdoce (dialogue et homélie).** A.-M. Malingrey (1980).

273. TERTULLIEN : **A son épouse.** C. Munier (1980).

274. **Lettres des premiers Chartreux.** Tome II : Les moines de Portes. Par un Chartreux (1980).

275. PSEUDO-MACAIRE : **Œuvres spirituelles.** Tome I. V. Desprez (1980).

276. THÉODORET DE CYR : **Commentaire sur Isaïe,** Tome I : Introduction et sections 1-3. J.-N. Guinot (1980).

277. JEAN CHRYSOSTOME : **Homélies sur Ozias.** J. Dumortier (1981).

278. CLÉMENT D'ALEXANDRIE : **Stromate V.** Tome I : introduction, texte et index par A. Le Boulluec ; traduction de P. Voulet (1981).

279. **Id.** — Tome II : commentaire, bibliographie et index par A. Le Boulluec (1981).

280. TERTULLIEN : **Contre les Valentiniens.** Tome I : introduction, texte et traduction. J.-C. Fredouille (1980).

281. **Id.** — Tome II : commentaire et index. J.-C. Fredouille (1981).

282. **Targum du Pentateuque.** Tome V. Index analytique. R. Le Déaut (1981).

283. ROMANOS LE MÉLODE : **Hymnes.** J. Grosdidier de Matons. Tome V. Hymnes XLVI-LVI (1981).

284. GRÉGOIRE DE NAZIANZE : **Discours** 24-26. J. Mossay (1981).

285. FRANÇOIS D'ASSISE : **Écrits.** Th. Desbonnets, Th. Matura, J.-F. Godet, D. Vorreux, o.f.m. (1981).

286. ORIGÈNE : **Homélies sur le Lévitique.** M. Borret. Tome I : Introduction et Hom. I-VII (1981).

287. **Id.** — Tome II : Hom. VIII-XVI, Index (1981).

288. GUILLAUME DE BOURGES : **Livre des guerres du Seigneur.** G. Dahan (1981).

289. LACTANCE : **La colère de Dieu.** C. Ingremeau (1982).

290. ORIGÈNE : **Commentaire sur S. Jean.** Tome IV. L. XIX-XX. C. Blanc (1982).

291. CYPRIEN DE CARTHAGE : **A Donat et La vertu de patience.** J. Molager (1982).

292. EUSÈBE DE CÉSARÉE : **Préparation évangélique,** livre XI. G. Favrelle et É. des Places (1982).

293. IRÉNÉE DE LYON : **Contre les hérésies,** livre II. A. Rousseau, L. Doutreleau. Tome I. Introduction, notes justificatives et tables (1982).

294. **Id.** — Tome II. Texte et traduction (1982).

295. THÉODORET DE CYR : **Commentaire sur Isaïe.** Tome II. Section 4-13. J.-N. Guinot (1982).

296. ÉGÉRIE : **Journal de voyage.** P. Maraval. — **Lettre de Valérius,** M.C. Díaz y Díaz (1982).

297. **Les Règles des saints Pères.** A. de Vogüé. Tome I : **Trois règles de Lérins au Vᵉ siècle** (1982).

298. **Id.** — Tome II : **Trois règles du VIᵉ siècle** (1982).

299. BASILE DE CÉSARÉE : **Contre Eunome,** suivi de EUNOME : **Apologie.** B. Sesboüé, G.M. de Durand et L. Doutreleau. Tome I (1982).

300. JEAN CHRYSOSTOME : **Panégyriques de S. Paul.** A. Piédagnel (1982).

301. GUILLAUME DE SAINT-THIERRY : **Le miroir de la foi.** J.-M. Déchanet (1982).

302. ORIGÈNE : **Philocalie 1-20 et Lettre à Africanus.** M. Harl, N. de Lange (1983).

303. S. JÉRÔME : **Apologie contre Rufin.** P. Lardet (1983).

304. JEAN CHRYSOSTOME : **Commentaire sur Isaïe.** J. Dumortier (1983).

305. BASILE DE CÉSARÉE : **Contre Eunome,** suivi de EUNOME : **Apologie.** B. Sesboüé, G. M. de Durand, L. Doutreleau. Tome II (1983).

306. SOZOMÈNE : **Histoire ecclésiastique,** livres I-II. A.J. Festugière, B. Grillet, G. Sabbah (1983).

307. EUSÈBE DE CÉSARÉE : **Préparation évangélique,** livres XII-XIII. É. des Places (1983).

308. GUIGUES Iᵉʳ : **Méditations.** Par un Chartreux (1983).

309. GRÉGOIRE DE NAZIANZE : **Discours 4-5.** J. Bernardi (1983).

310. TERTULLIEN : **De la patience.** J.-C. Fredouille (1984).

311. JEAN D'APAMÉE : **Dialogues et traités.** R. Lavenant. Trad. seule (1984).

312. ORIGÈNE : **Traité des principes.** Tome V. H. Crouzel (1984).

313. GUIGUES Iᵉʳ : **Les Coutumes de Chartreuse.** Par un Chartreux (1984).

314. GRÉGOIRE LE GRAND : **Commentaire sur le Cantique des cantiques.** R. Bélanger (1984).

Hors série :

Directives pour la préparation des manuscrits (de « Sources Chrétiennes »). A demander au Secrétariat de « Sources Chrétiennes », 29, rue du Plat, 69002 Lyon.

La Règle de S. Benoît. VII. Commentaire doctrinal et spirituel. A. de Vogüé (1977).

SOURCES CHRÉTIENNES

(1-314)

Également aux Éditions du Cerf :

LES ŒUVRES DE PHILON D'ALEXANDRIE
publiées sous la direction de
R. ARNALDEZ, C. MONDÉSERT, J. POUILLOUX.

Texte grec et traduction française.

1. **Introduction générale, De opificio mundi.** R. Arnaldez (1961).
2. **Legum allegoriae.** C. Mondésert (1962).
3. **De cherubim.** J. Gorez (1963).
4. **De sacrificiis Abelis et Caini.** A. Méasson (1966).
5. **Quod deterius potiori insidiari soleat.** I. Feuer (1965).
6. **De posteritate Caini.** R. Arnaldez (1972).
7-8. **De gigantibus. Quod Deus sit immutabilis.** A. Mosès (1963).
9. **De agricultura.** J. Pouilloux (1961).
10. **De plantatione.** J. Pouilloux (1963).
11-12. **De ebrietate. De sobrietate.** J. Gorez (1962).
13. **De confusione linguarum.** J.-C. Kahn (1963).
14. **De migratione Abrahami.** J. Cazeaux (1965).
15. **Quis rerum divinarum heres sit.** M. Harl (1966).
16. **De congressu eruditionis gratia.** M. Alexandre (1967).
17. **De fuga.** E. Starobinsky-Safran (1970).
18. **De mutatione nominum.** R. Arnaldez (1964).
19. **De somniis.** P. Savinel (1962).
20. **De Abrahamo.** J. Gorez (1966).
21. **De Iosepho.** J. Laporte (1964).
22. **De vita Mosis.** R. Arnaldez, C. Mondésert, J. Pouilloux, P. Savinel (1967).
23. **De Decalogo.** V. Nikiprowetzky (1965).
24. **De specialibus legibus.** Livres I-II. S. Daniel (1975).
25. **De specialibus legibus.** Livres III-IV. A. Mosès (1970).
26. **De virtutibus.** R. Arnaldez, A.-M. Vérilhac, M.-R. Servel, P. Delobre (1962).
27. **De praemiis et poenis. De exsecrationibus.** A. Beckaert (1961).
28. **Quod omnis probus liber sit.** M. Petit (1974).
29. **De vita contemplativa.** F. Daumas, P. Miquel (1964).
30. **De aeternitate mundi.** R. Arnaldez et J. Pouilloux (1969).
31. **In Flaccum.** A. Pelletier (1967).
32. **Legatio ad Caium.** A. Pelletier (1972).
33. **Quaestiones in Genesim et in Exodum. Fragments grecs.** F. Petit (1978).
34 A. **Quaestiones in Genesim,** I-II (e vers. armen.). C. Mercier (1979).
34 B. **Quaestiones in Genesim,** III-IV (e vers. armen.) (en préparation).
34 C. **Quaestiones in Exodum,** I-II (e vers. armen.) (en préparation).
35. **De Providentia,** I-II. M. Hadas-Lebel (1973).
36. **De animalibus.** A. Terian et J. Laporte (en préparation).
37. **Hypothetica,** M. Petit (en préparation).

Imprimerie de l'Indépendant
53200 Château-Gontier

N° Éditeur : 7871

Dépôt légal : 2e trimestre 1984

V.314, C1

- DEMCO -